Nicole de Buron

Nicole de Buron a été journaliste avant de se tourner vers l'écriture. Elle est l'auteur de plusieurs comédies écrites pour le cinéma, comme par exemple *Erotissimo* et *Elle court, elle court, la banlieue*, ainsi que de feuilletons télévisés, notamment la série culte *Les Saintes chéries*. Débordants d'humour et de verve satirique, ses romans parmi lesquels *Qui c'est, ce garçon ?*, *Mais t'as tout pour être heureuse !*, *Mon cœur tu penses à quoi ?... À rien...* et *Chéri, tu m'écoutes ?* ont conquis un très large public.

Elle se partage entre Paris et les Corbières, où elle exploite un domaine agricole.

C'EST FOU CE QU'ON VOIT DE CHOSES DANS LA VIE!

NICOLE DE BURON

C'EST FOU CE QU'ON VOIT DE CHOSES DANS LA VIE !

Souvenirs vrais et faux

PLON

© Plon, 2006.

ISBN : 978-2-266-16638-6

Je dédie ce livre à « Aliénor »,
marquise de P.,
à qui je dois tant.

La vie chez mes grands-parents

1

Départ en vacances

Grand-père sortit de l'immeuble en tenue d'été, sa canne à la main, un bleuet à la boutonnière (le cher homme adorait les « bleuets militaires » et en portait dès le matin, y compris pour aller à sa banque). Que dirait-il maintenant qu'il n'en reste plus un seul même dans les immenses hectares de blé de la Beauce ? Ni ailleurs. Empoisonnés par les saloperies chimiques agricoles.

De l'autre côté de la cour surgit doucement la Minerva, l'énorme voiture belge dont Grand-père était si fier. Joseph, le chauffeur, en uniforme de toile blanche, la conduisait. Il freina, sauta hors de la gigantesque automobile, ouvrit cérémonieusement la portière arrière gauche pour que son maître puisse s'asseoir confortablement sur la large banquette.

— Elles sont encore en retard ! grommela mon ancêtre.

— Les voilà, monsieur le baron, dit gentiment Joseph.

En effet, Grand-mère apparut à son tour, son

11

éternel chapeau-cloche noir enfoncé jusqu'aux yeux. Elle était habillée tout en noir depuis la mort en 1915 à Verdun de son unique fils.

Elle monta s'installer majestueusement à côté de Grand-père. Précédant Mademoiselle Anne, ma chère gouvernante, qui me tenait par la main, essayant de m'empêcher de sautiller de joie. C'était les vacances : nous partions trois mois à la campagne que j'adorais (vacances et campagne).

Nous grimpâmes, Mademoiselle et moi, nous établir sur les deux strapontins en face de mes ancêtres.

Grand-père décrocha alors un cornet en corne couleur crème, orné de volutes en nickel, qui lui servait de téléphone avec son chauffeur :

— Allez, Joseph ! On y va...

— Bien, monsieur le baron, approuva joyeusement ce dernier.

Il prit néanmoins le temps de vérifier que l'immense malle en cuir noir portant imprimé en blanc LE BON MARCHÉ était bien arrimée sur le toit de la voiture. Car Grand-mère avait une manie. Bien qu'il y eût une très bonne épicerie dans le village au pied du château de mes ancêtres maternels, elle commandait la plupart de ses courses pour l'été au Bon Marché, qui les lui livrait dans ce somptueux coffre attendu avec impatience par notre célèbre cuisinière, Louise, partie la veille par le train avec Paul, le maître d'hôtel (et valet de chambre de Grand-père).

Joseph (en remontant dans sa chère Minerva) jeta un coup d'œil pour vérifier si tout son petit monde était en ordre. Oui. Grand-père décachetait son courrier de la banque F.H. Grand-mère avait sorti son chapelet noir de son sac noir et commençait à prier le Seigneur pour l'âme de l'oncle Christian « mort au combat ». Mademoiselle Anne rêvait, le dos appuyé contre la vitre qui nous séparait de Joseph et de son épouse, la femme de chambre de Grand-mère, montée silencieusement s'asseoir à côté de son mari.

Je feuilletais avec enchantement les gros livres roses dorés sur tranches de Jules Verne reçus la veille à la distribution des prix du Sacré-Cœur. Car j'étais une demoiselle du Sacré-Cœur malgré la séparation « honteuse » – le divorce – de mes parents et le fait que je faisais encore pipi dans ma culotte.

Un roulement d'enfer réveilla tout le quartier, y compris le petit Régis D. dont la famille habitait un appartement en face du nôtre. Faisant sursauter les gardes endormis du palais de la Légion d'honneur, de l'autre côté de la rue. Nos concierges poussaient l'immense porte qui donnait sur le quai d'Orsay longeant la Seine. Mes grands-parents les remercièrent en les saluant, telle la famille royale anglaise.

En route vers trois mois de bonheur, Madame Minerva !

2

Le château de Villeserres

Quelques heures plus tard, Joseph klaxonna vigoureusement, vira à gauche et fit grimper à notre grosse Minerva un chemin de terre tout raide et caillouteux. Nous passâmes devant une charmante petite ferme (dite « Chantepie ») d'où deux enfants sortirent en agitant des mouchoirs à carreaux. Grand-mère salua de nouveau comme la reine d'Angleterre. Grand-père sourit en roulant sa superbe moustache à la gauloise qu'il frisait tous les matins.

Après des tours et des détours, nous arrivâmes devant un magnifique portail en fer forgé – ouvert – surmonté d'une couronne de comte et prolongé par une allée d'immenses tilleuls.

Au fond, le château de Villeserres, dit de famille, situé dans la Sarthe. Joseph arrêta la Minerva auprès d'un grand perron. Devant, un petit groupe : Georges le garde-chasse, Léonie sa femme, fermière de première classe, et Alphonse le jardinier, avec son immense vieux chapeau de paille et son râteau.

Grand-père, toujours tortillant sa belle moustache, sortit de la voiture et serra toutes les mains.

Je me penchai vers Grand-mère et lui murmurai :

— Puis-je aller dire bonjour à Yvette et Léa ?

Elle acquiesça.

Je sautai hors de la Minerva et courus derrière la propriété retrouver les filles de Georges et Léonie (les meilleures amies de toute ma vie). Elles m'attendaient sagement, assises sur les marches qui descendaient au sous-sol et à la cuisine – aussi grande qu'un amphithéâtre –, en jouant aux osselets (donnés par Roger, le boucher, qui avait eu la gentillesse de les peindre tant bien que mal en rouge). Je les adorais (Yvette et Léa...). Mais Grand-mère avait un grand reproche à leur faire :

— Elles sont pleines de poux qu'elles passent à Victoire *, s'indignait-elle.

— Cela m'est complètement égal, répondait froidement son mari. Normal, à la campagne ! Et dans notre chère école libre !

Mes grands-parents s'occupaient et entretenaient l'école libre du village, ce qui ne plaisait guère au maire, un républicain de choc – ce qui ne l'empêchait pas d'accepter les cigares de « ses vieux aristos » (ainsi nommait-il mes ancêtres).

— D'autre part, ajoutait Grand-père, que Mademoiselle Anne aille au village acheter de la Marie-Rose et frictionne les têtes de ces demoiselles **

---

* Victoire, c'est moi. Plus tard, je deviendrai Victoria.

** Il paraît que la Marie-Rose existe toujours.

Mais mon aïeul n'était pas toujours aussi complaisant envers les poux.

Une nuit, à Paris, je fus prise de violentes douleurs au ventre et me mis à gémir. Mademoiselle Anne qui dormait dans un lit à côté du mien se réveilla, m'examina, et alla frapper à la porte de la chambre de mes grands-parents.

— Je crains que Victoire n'ait une crise d'appendicite.

Grand-mère attrapa son carnet d'adresses sur sa table de nuit, le téléphone, et appela « notre » clinique. Qu'elle pria d'avoir l'amabilité de lui envoyer d'urgence l'ambulance et un médecin, et de réveiller le chirurgien. Merci !...

Pendant ce temps, Grand-père s'était habillé. Il saisit une couverture dans laquelle il m'enveloppa, moi et ma chemise de nuit (les filles ne portaient jamais de pyjama à cette époque). Descendit l'escalier en me serrant dans ses bras, tandis que je continuais à hurler de toutes mes forces. Réveillant même la très gentille mère de Régis D. (à l'étage au-dessous) qui ouvrit sa porte d'entrée et s'enquit de mes malheurs.

— Oh ! ce n'est rien ! nous pensons qu'il s'agit d'une simple appendicite, répondit mon aïeul. Merci, chère madame, de votre aimable intérêt.

Je ne me rappelle pas la suite des événements, sinon qu'il s'agissait bien d'une simple appendicite, mais que le chirurgien – soit qu'il n'ait pas été bien réveillé, soit qu'il s'agît de sa première opération – me laissa avec une très longue et épaisse cicatrice en travers du ventre qui stupéfia les médecins toute ma vie : « On vous a fait quoi, là ?... »

Un autre incident surprit la clinique.

16

Grand-père refusa absolument de payer l'ambulance.

J'y avais attrapé des poux.

Qui n'étaient pas NOS poux.

Pour l'instant, nous bavardions joyeusement, mes deux copines à poux (Yvette et Léa) et moi, nous racontant ce que nous avions fait depuis les dernières vacances.

Au moins, elles, elles ne me méprisaient pas. Ce qui était le cas d'une partie de ma famille, des élèves du Sacré-Cœur (et de leurs parents). Tout le monde savait que ma mère s'était enfermée dans sa chambre, le jour de son mariage, refusant d'aller à l'église épouser mon père. Mon oncle avait été obligé de démolir sa porte pour la traîner à Sainte-Clotilde où son fiancé l'attendait au pied de l'autel, assez indifférent. Il s'agissait, en fait, m'expliqua-t-on plus tard, d'un mariage arrangé entre deux familles de banquiers. Et Grand-père avait dû promettre à ma mère de demander l'annulation du mariage religieux à Rome (à condition, naturellement, qu'ils restent chastes).

Malgré un merveilleux voyage de noces en Amilcar de course (dot de Papa) jusqu'au sud de la Tunisie, où mon père, brillant officier de cavalerie, se battait, Maman fit jurer à son époux de ne pas lui faire d'enfant et de la laisser divorcer quand elle trouverait le grand amour.

Mon père accepta malgré son désir d'avoir un garçon pour la transmission du nom (assez inconnu, je le crains) de la famille de Buron. Ils vécurent tous les deux sous une tente, non loin du champ de bataille, assez contents je crois. Maman, entourée d'officiers, était folle de bonheur... C'était une grande amoureuse. Et bien que pas tellement jolie, elle séduisit tous les hommes, sa vie entière !

Pendant ce temps, le général (« Rien de plus bête qu'un général sinon un autre général », aimait à ricaner mon père, jusqu'au jour où il faillit devenir général à son tour. Mais il se disputa avec le ministre de la Guerre et ma belle-mère, la deuxième femme de mon père, dont je parlerai plus tard, m'a interdit d'en parler. J'attends qu'elle monte au ciel...). Donc, je reviens à ce général en Tunisie qui, content de ses troupes, organisa pour les distraire un match de polo à Malte entre l'équipe britannique et l'équipe française. Celle-ci dirigée par mon papa qui montait remarquablement à cheval depuis l'âge de sept ans et était passé par Saumur. Les Français gagnèrent. Fous de joie, mes parents burent plus que de raison, surtout ma mère.

Neuf mois plus tard, j'apparus.

— Merde ! une fille ! s'exclama mon géniteur.

Je compris plus tard que je n'avais pas été accueillie avec la joie que je méritais (à mon avis).

— Je m'en fous que ce soit une fille, riposta ma mère, ce que je sais, c'est que j'ai cru mourir de douleur pendant deux jours.

Elle m'en voulut toute sa vie pour ces deux jours.

En attendant, elle sortit seule de la grande clinique du Belvédère de Tunis. S'installa à l'hôtel. Obtint de me laisser quelques jours de plus aux infirmières qui

18

l'avaient accouchée. Trouva une nounou tunisienne spécialisée dans les bébés et recommandée par l'hôpital, à qui elle me confia. Divorça civilement. Se remaria (toujours civilement, et dans les délais les plus courts) avec un officier des Affaires indigènes. Fila en voiture avec lui pour le Sud marocain. (Ils furent punis par un grave accident d'automobile dans l'Atlas, qu'elle me reprocha également plus tard.)

Mon père, effaré par tous ces événements, donna un peu d'argent à la femme d'un de ses sous-lieutenants – qui avait déjà eu deux enfants et savait les soigner – avec mission d'aller à Paris me remettre en mains propres à mes grands-parents *maternels*. Son père à lui (le père de mon papa) venait de mourir. Mauvais présage. Et sa mère, Amama (« grand-mère » en basque), ne ruisselait pas de tendresse pour les enfants (sauf pour une de ses filles).

Parfois compliqué, une famille !...

Mes grands-parents furent stupéfaits mais ravis de me voir arriver.

— Est-elle baptisée ? demanda ma grand-mère immédiatement.

La femme du sous-lieutenant ne le savait pas.

— Quel est son prénom ? s'enquit mon grand-père.

La femme du sous-lieutenant hésita :

— Euh... je ne me rappelle plus si c'est Céphise... ou Victoire.

— Je sais que Céphise est le nom traditionnel de la fille aînée chez les Buron, dit Grand-père à Grand-mère.

19

— Je n'aime pas du tout Céphise, s'exclama Grand-mère. Ce sera Victoire.

— D'accord, approuva Grand-père.

Puis il leva les bras au ciel :

— Ah ! mon Dieu ! Il faut que je retourne à Rome !

— Pour quoi faire ?

— Revoir la Rote *. Oh ! là là ! les juges ecclésiastiques ne vont pas être contents !

Non, en effet. Ils ne furent pas contents du tout. Il fallait annuler toute la paperasse prévue pour un couple sans enfant et peut-être abstinent (tu parles !). Et la refaire (la paperasse) pour deux pécheurs soûls.

Grand-père dut vendre quelques fermes de plus.

Grand-mère se chargea de mon éducation. Elle en avait une idée assez sévère datant d'avant la Révolution française. Janséniste, elle demandait pardon à Dieu, à travers son confesseur privé, pour Grand-père, chaque fois qu'il lui faisait l'amour. (Rumeur familiale.)

Grand-père, lui, s'occupa de ma formation politique.

C'était un grand royaliste. Il lisait *Le Temps* tous les matins, refusait de présider les comices agricoles républicains, ne votait jamais, m'interdit plus tard (parfois à mon grand désespoir) de recevoir d'« affreuses petites bourgeoises descendantes de ceux qui avaient guillotiné notre cher roi Louis XVI

---

* La Rote : tribunal ecclésiastique qui instruit les demandes d'annulation de mariage catholique.

et notre pauvre reine Marie-Antoinette ». Le nom de Philippe d'Orléans – qui avait voté la mort de son cousin – ne devait jamais être prononcé à la maison.

Quand je me mariai (bien plus tard), mon grand-père était, hélas, mort. Mais il dut être heureux du haut du ciel de me voir épouser un autre royaliste (un peu farceur, celui-là, mais, bon...) qui se proclamait « tendance mérovingienne » (j'adhérai immédiatement à son groupe : nous étions donc deux !) L'Homme interdit à notre propre fille cadette de se marier (à son tour) un 21 janvier, jour anniversaire de la mort de Louis XVI (21 janvier 1793).

Par contre, étant « bien née » (c'était l'une des expressions favorites de mon grand-père), j'avais le droit de jouer avec tous les enfants du peuple – à condition, bien entendu, de leur donner le bon exemple.

Pour l'instant (je venais d'arriver au château de Villeserres), Yvette et Léa me racontaient le départ de leur frère aîné pour le service militaire, quand la première cloche du déjeuner sonna. Elle indiquait que je devais me laver les mains, me peigner, éventuellement me changer.

Quand la deuxième cloche sonnait, toute la famille devait être dans le petit salon de Grand-mère donnant sur la grande salle à manger.

Grand-père était extrêmement pointilleux sur les horaires des repas. Il arrivait souvent, l'été, que mes cousins, embarqués dans une passionnante partie de tennis ou une promenade en barque sur la rivière, surgissent haletants mais en retard sur la deuxième cloche.

« Privés de déjeuner ! Cela vous apprendra à être à l'heure ! » s'exclamait alors notre aïeul, les bras croisés, debout devant la porte fermée de la salle à manger.

Ce qu'il ignorait, c'est que lesdits cousins descendaient alors sur la pointe des pieds au sous-sol où Louise – qui les avait tous vus naître – leur servait dans la cuisine un confortable repas.

Naturellement, je n'eus pas le droit de parler à table jusqu'à l'âge de dix ans. Et quand je vois maintenant mes propres petits-enfants me couper la parole et me raconter, la bouche pleine, ce qu'ils ont vu à la télévision, je reste stupéfaite.

Ainsi vont les choses...

3

La vie de fermière

Dès le lendemain de notre arrivée, la vie reprenait son cours habituel à Villeserres pour tout l'été.

Je me levais tôt le matin, réveillée par une petite bonne engagée par Louise au village, qui m'apportait le plateau du petit déjeuner.

Je glissais de mon lit pour me mettre à genoux et réciter mes prières (le « Notre Père » et le « Je vous salue, Marie »). J'avalais ensuite mon chocolat au lait et deux tartines beurrées, avec du miel (notre miel). Enfilais un vieux vêtement de l'année précédente. Et courais rejoindre Yvette et Léa, déjà au travail.

C'est ainsi que j'appris :

• A traire les vaches à la main, assise sur mon petit tabouret, un seau entre les jambes.

• A baratter le beurre, toujours à la main.

• A porter la pâtée aux cochons (en faisant bien attention au laies qui attendaient des bébés : elles mordaient facilement).

• A nourrir les canards dans la mare (avec du vieux pain camouflé dans mes poches).

• A ramasser ensuite, le plus tôt possible, les petits champignons blancs tout frais dans les prés encore pleins de rosée.

Nous les portions à la cuisine afin que Louise puisse préparer pour le déjeuner un de mes plats préférés : la croûte (feuilletée) aux champignons blancs à la sauce béchamel.

J'en profitais pour grimper au premier étage dire bonjour et embrasser Grand-mère, Grand-père et Mademoiselle qui dormait dans sa chambre à côté de la mienne. ... Oui ! Oui ! j'avais dit mes prières. Oui ! Oui ! Nous avions ramassé des champignons ! Etc.

Je redescendais, toujours en courant, retrouver mes copines. Et nous partions cueillir d'énormes bouquets de fleurs des champs, marguerites ou coucous, réclamées par Grand-mère pour l'église, ou du cresson (sauvage) pour la salade des repas, décorée, bien sûr, de capucines cultivées par Alphonse...

• A changer les vaches de pré (nous n'étions pas trop de trois pour ouvrir et refermer les lourdes barrières en bois).

L'après-midi était réservé aux tâches importantes ou difficiles :

• Attraper des furets à la main. C'est-à-dire :

1. Trouver des trous de furet, les boucher avec de la terre, sauf deux.

2. Verser dedans de l'eau apportée dans un arrosoir. Le museau effaré du furet (qui manquait d'être noyé) apparaissait à un des trous.

3. L'attraper (attention, ça mord, ces sales petites bêtes !) avec une main gantée (toujours un vieux gant de cuir d'une année précédente)

24

4. Le jeter enfin dans une besace de chasseur que nous rendions à Georges. Les furets servaient, paraît-il, à dévorer les masses de lapins qui existaient à cette époque.

• Ramer avec la vieille barque sur la petite rivière qui coulait au bas du parc, jusqu'au donjon à moitié écroulé où, prétendait la légende, Jeanne d'Arc avait caché un trésor. Nous emportions des bêches et creusions avec ardeur tout autour de la vieille tour. Nous ne trouvâmes jamais rien. Quand beaucoup beaucoup plus tard j'achetai mon propre domaine agricole – dans le Languedoc –, mon mari prétendit que les cathares y avaient, eux aussi, enfoui de l'or. Je fis le tour de la propriété avec une machine spéciale qui se mit à sonner ! Je défonçai un nouveau trou. Et y trouvai une boîte de sardines vide. Je ne cherche plus de trésor.

Dans le grand potager où régnait Alphonse et son éternel vieux chapeau de paille, j'appris à planter des radis (semer des graines à trente centimètres de distance, sous deux centimètres de terre. Tasser et arroser. Attendre vingt et un jours. Arracher et faire un bouquet que je vendais à Grand-mère quelques sous). J'achetais avec cette fortune, à l'épicerie du village, des rouleaux de réglisse (entourant un bonbon de couleur au milieu), que je partageais avec Yvette et Léa. Délicieux !

Un jour, Grand-mère était partie à un mariage, me laissant avec mon bouquet de radis. Zut ! Mais elle avait oublié son sac. La tentation était trop forte. Je piquai la somme habituelle dans son porte-monnaie.

Je compris le soir dans mon lit que j'étais devenue une voleuse.

J'en ai encore honte...

Notre distraction préférée, à Léa, Yvette et moi, était le braconnage des goujons dans notre rivière, la Vègre. Nous allions demander à Louise une bouteille de champagne vide, dont nous cassions le culot avec un petit marteau, plus une grande ficelle, puis de vieux morceaux de pain que nous enfouissions dans la bouteille. Nous accrochions ensuite le tout à la barque, *à contre-courant*. Les petits goujons qui, eux, suivaient le courant, s'engouffraient dans la bouteille... et ne pouvaient plus ressortir. Jusqu'à ce que nous la vidions dans une passoire également empruntée à Louise.

Nous rapportions notre pêche miraculeuse à la cuisine où notre chère cuisinière la faisait frire et la servait au dîner (après le potage aux légumes bien sûr), sous les applaudissements du jury : Grand-père, Grand-mère, et Mademoiselle Anne.

Un soir, un drame éclata.

Il y avait des épinards.

Or je détestais les épinards, d'autant plus que Grand-père les adorait et qu'il les dévorait avec des croûtons après les avoir saupoudrés de sucre en poudre (je n'ai jamais revu pareille recette). Grand-mère en faisait servir souvent.

Jusqu'à dix ans, il me fut donc interdit de prononcer la moindre parole à table, mais aussi de ne pas finir TOUT ce qu'il y avait dans mon assiette (« Pense à ces pauvres petits Chinois qui meurent de faim », disait mon aïeule). Je devais également terminer mon pain jusqu'à la dernière miette (toujours à cause des petits Chinois), et ne pas laisser d'eau dans mon verre (je n'ai jamais su pourquoi). Etc.

Or, ce soir en question, je dis à voix haute à Grand-mère :

— Je ne veux pas manger d'épinards ! Je hais les épinards !

Grand-mère me regarda froidement :

— Bien. Tu n'auras rien d'autre tant que tu n'auras pas mangé tes épinards !

Arriva le dessert. Malheur ! Une île flottante que Louise faisait divinement bien et dont j'étais très gourmande.

Mon aïeule adressa un signe de tête au maître d'hôtel. Je n'eus pas droit à l'île flottante.

Le lendemain matin, au petit déjeuner, Pasqualine, la petite bonne, me monta, au lieu de mon cher chocolat au lait, de mes tartines grillées, beurrées et recouvertes de miel (de la ferme Chantepie)... mon assiette d'épinards (froids).

Et c'était tout.

Je n'y touchai pas.

Mademoiselle Anne me supplia d'avaler cette cochonnerie et de demander pardon à ma grand-mère pour ma rébellion.

Je secouai la tête, les dents serrées.

Ce bras de fer avec ma grand-mère passionnait les domestiques.

— Elle a des couilles, la petite, remarqua Joseph. Moi, je n'oserais pas... La baronne, elle n'est pas commode.

Le déjeuner se passa dans un lourd silence. Je n'eus toujours droit à rien du tout, même pas à un morceau de pain sec. Grand-père regarda Grand-mère d'un air attristé, mais ne prononça aucune parole. L'éducation des enfants était affaire de femmes. Je fis le vœu de ne jamais aller en Chine. J'ai tenu parole. Jusqu'ici...

Au dîner du troisième soir, je craquai. J'avais trop faim.

J'avalai tout rond mes épinards glacés...

... et je les vomis sur le superbe tapis persan sous la table de la salle à manger.

Personne ne fit aucune remarque, Grand-mère y comprise.

Pasqualine monta avec un seau et une serpillière, et nettoya le désastre.

Je remarquai plus tard que Grand-mère commandait à la cuisine beaucoup plus rarement de ces légumes maudits. Remplacés par de l'oseille. Que j'aimais beaucoup.

Quand, plus tard, j'eus des filles et qu'elles déclarèrent à leur tour détester les épinards (comme beaucoup d'enfants), il n'y en eut jamais chez moi *.

Les après-midi passaient vite à la campagne.

_____

* Je viens d'apprendre une chose terrible. Ayant téléphoné à Petite Chérie pour lui parler de cette histoire d'épinards et lui faire remarquer combien j'avais été durement élevée, elle m'assura que MOI AUSSI, quand elle était petite, je lui donnais à manger des épinards, et rien d'autre tant qu'elle ne les avait pas avalés. Je ne la crus pas. Elle me le jura sur la tête de ses propres enfants. Ainsi, j'ai été un monstre à mon tour ?

Arrivait l'heure du goûter. Nous allions, mine de rien, dire bonjour à l'une des fermières de Grand-père, qui nous donnait à chacune, avec le sourire, une grande tranche de pain de campagne tartinée de rillettes du Mans (le tout fait par elle et délicieux).

Elle me demandait des nouvelles de mes grands-parents. J'avais reçu la recommandation de répondre très poliment qu'ils allaient très, très bien. Deuxième recommandation : m'enquérir poliment du nombre des enfants (il y en avait toujours un de plus chaque année), de leur santé, de leur travail, etc.

Pendant que je « mondanisais » (ce que je détestais en ville), Yvette et Léa jouaient avec les derniers-nés.

Aucune fermière ne nous a jamais refusé une tartine ! Même celles qui n'étaient pas... à nous ! Beaucoup plus tard, j'appris que la majorité de leurs ancêtres avaient aidé mes arrière-arrière-grands-parents à échapper à la guillotine. En les cachant dans leurs caves. Cela n'est pas arrivé à Robespierre.

En fin d'après-midi, je rentrais prendre mon tub.

Il n'y avait naturellement pas d'eau courante (ni de chauffage) dans ce vieux château. Mademoiselle avait monté péniblement deux brocs d'eau chaude de la cuisine qu'elle versait dans le large bassin en zinc pendant que je me déshabillais. Elle me frottait sec avec deux gants de toilette (un pour la figure, l'autre... pour... le reste), car, évidemment, j'étais assez sale. Et je me rhabillais avec ma tenue du soir.

Je descendais ensuite dans le petit salon de Grand-mère, déjà installée sur son divan recouvert d'un tissu anglais à fleurs, et qui m'attendait.

C'était l'heure sacrée du tricot. J'appris d'abord à faire de longues écharpes en laine, soit au crochet, soit avec de grandes et grosses aiguilles. Grand-mère, elle, se réservait les chaussettes à quatre petites aiguilles.

Nous bavardions. Elle me racontait des histoires de son enfance, que je ne trouvais pas tellement différente de la mienne.

Une fois par semaine, nous descendions au village en charrette anglaise tirée par la jument blanche (Roselyne) et conduite par Georges. Nous portions nos tricots et une grosse boîte en fer bourrée de petits sablés moelleux préparés par Louise.

Nous allions à la maison de retraite (appelée le « mouroir » par mes cousins) distribuer tricots et biscuits. Grand-mère m'expliquait que c'était notre devoir.

Elle ne s'est jamais doutée que je resterais toute ma vie hantée par la vision de ces pauvres petits vieux, hommes et femmes mélangés, en chemises de nuit sales et déchirées, aux odeurs infectes. Dès qu'ils nous apercevaient, ils trottinaient vers nous en se bousculant pour être les premiers à attraper une écharpe ou dévorer un petit sablé.

J'en ai encore des cauchemars.

Il m'est arrivé de le raconter à des amies qui haussaient les épaules.

— Mais ça n'existe plus, tout ça, maintenant.

Eh bien, si ! « Tout ça » existe encore !

Comme l'a dit une fois un certain M. Raffarin : « Il y a la France d'en haut et la France d'en bas. »

Quelques années après la mort de Grand-père, mes oncles et tantes, ainsi que ma mère, s'aperçurent que Grand-mère ne pouvait vivre toute seule au château, dont l'entretien, en outre, leur revenait très cher.

Aliénor (ma très aimée cousine) fut chargée de le vendre à une dame qui avait gagné beaucoup d'argent, elle, en tenant une blanchisserie aux Batignolles... J'en reparlerai.

Grand-mère finit sa vie dans un joli deux pièces, faubourg Saint-Honoré, au milieu de ses meubles et d'adorables bonnes sœurs qui la chouchoutaient. J'allais souvent déjeuner avec elle.

Par contre, Louise, notre chère cuisinière, fut enlevée par sa famille avant que nous ayons pu dire « ouf ! », et casée dans un grenier bourré de lits serrés les uns contre les autres, au point qu'avec sa large silhouette, elle avait peine à monter et à descendre de sa couche.

Tous les membres de notre famille allaient la voir, chacun un jour par semaine. Puis ils cessèrent, petit à petit, à cause de l'« odeur ».

Elle mourut seule.

4

Les jours passent

Le premier *lundi* après notre arrivée à Villeserres, avait lieu une cérémonie qui me fascinait : les « faisances » *.

Grand-père s'installait dans son petit bureau sous l'escalier, un grand livre noir ouvert devant lui, une plume sergent-major à la main. Moi, je me blottissais dans le coin entre la fenêtre et l'armoire remplie de papiers « agricoles », que Grand-père détestait (moi aussi, beaucoup plus tard).

Dehors, une longue file de paysans (portant qui un poulet, qui une motte de beurre, qui un petit cochon à peine né), s'allongeait du château au portail du parc.

J'écoutais avec passion leurs dialogues avec mon aïeul.

Premier paysan (de la ferme de Chantepie) : Ah, monsieur le baron, je suis bien embêté. Ma vache a été malade tout l'hiver. J'ai rien à vous apporter.

---

* Faisances : cadeaux s'ajoutant au bail.

Grand-père : Mon pauvre ami, ce n'est pas grave ! Vous m'apporterez un kilo de beurre de plus l'année prochaine.

Le paysan de Chantepie : Merci, monsieur le baron. (Ton beaucoup plus indifférent :) Et puis, ma femme aussi a été malade !

Grand-père (même ton) : Qu'est-ce qu'elle a eu ?

Le paysan de Chantepie : Je ne sais pas. J'ai pas fait venir le docteur, ni le vétérinaire ! Ils sont tellement chers, ces salauds !

Grand-père (hochant la tête) : Je sais ! Je sais ! Est-ce que votre épouse tousse beaucoup ?

Le paysan de Chantepie : Ben... pas mal !

Grand-père : Je vous envoie ma femme cet après-midi.

Grand-mère était la reine des soins antibronchitiques.

Particulièrement en ce qui me concernait. Si j'avais le malheur de toussoter une ou deux fois le matin au réveil, mon aïeule, dont le lit était de l'autre côté du mur, se levait précipitamment, entrait dans ma chambre, me faisait allonger sur le ventre, chemise de nuit relevée jusqu'aux épaules, et disait :

— Tousse encore !

Je m'efforçais de lui faire plaisir et me raclais la gorge.

Elle courait alors dans son cabinet de toilette chercher sa grosse boîte à pharmacie contenant des ventouses, des allumettes, une poignée de coton hydrophile qu'elle déchiquetait et dont elle allumait un petit morceau qu'elle déposait sur mon dos (« Aïe ! Ça me brûle ! »), le recouvrant rapidement

33

d'un pot en verre. *Ploc. Ploc. Ploc.* Bientôt mon dos était recouvert de ces ancêtres des yaourts.

Dans la glace au-dessus de ma cuvette et du broc à eau, je voyais ma peau gonfler comme un élevage de champignons rouges, parfois même violets.

Au bout d'un certain temps, elle enlevait (ou plutôt arrachait) ses chères ventouses, rabaissait ma chemise de nuit et disait :

— Au lit pour la journée !

Je pleurnichais :

— Je vais m'ennuyer.

— Mademoiselle Anne va t'apporter des livres.

— Je préférerais Grand-père.

Le cher homme ignorait ce que lisait une petite fille. C'est ainsi que j'écoutais Bernanos et Feydeau à huit ans. Sans rien y comprendre.

Le *mardi* était jour de téléphone.

Grand-mère donnait un grand goûter tous les jeudis après-midi et laissait à Grand-père – qui adorait cela – le soin d'inviter les amis du voisinage (dix jours plus tard).

Je m'installais alors dans le grand escalier et écoutais toujours avec passion les conversations de mon aïeul.

Il commençait par s'asseoir devant l'appareil (en forme de boîte rectangulaire) placé dans l'immense entrée, saisissait la manivelle, installée sur le côté, qu'il décrochait et tournait avec vigueur.

Grand-père : Allô ? Mademoiselle Jeannine ?

Voix aiguë de Mademoiselle Jeannine (la standardiste) : Oui ?

34

Grand-père : Ici, le baron Chappe d'Auteroche. Comment allez-vous, ma petite Jeannine ?

Mademoiselle Jeannine : Très bien, monsieur le baron, bien qu'il fasse un peu froid ce matin.

Grand-père : C'est vrai. Et comment va votre mère ?

Mademoiselle Jeannine : Beaucoup mieux depuis que madame la baronne l'a soignée l'année dernière.

Grand-père : Ah ! je suis bien content. Et monsieur le curé est toujours aussi alerte ?

Pia... Pia... Pia... Ils épluchaient tous les deux les potins du village. Puis Grand-père demandait à sa chère Mademoiselle Jeannine de lui passer la comtesse de D., au 3 à Saint-Bel.

Hélas, la comtesse de D. n'était pas là. Partie au manoir de T. Mademoiselle Jeannine lui avait passé à 6 heures du matin un appel téléphonique de son gendre, l'avertissant que sa femme (la fille de la comtesse de D.) avait accouché d'un petit garçon dans la nuit. La mère et l'enfant se portaient bien.

— Je vais tout de suite prévenir mon épouse, disait alors Grand-père, et je vous rappellerai dans l'après-midi.

Il raccrochait son cher téléphone, saisissait son cor de chasse pendu à un bois de cerf accroché dans l'escalier qu'il grimpait en sonnant la Saint-Hubert.

Je le suivais en chantant.

Dix jours plus tard (donc le *jeudi*) c'était l'après-midi du GOÛTER. Je détestais.

Grand-mère, au point de vue de la mode, en était restée à Louis XVII (avant qu'il soit enfermé au

Temple). J'étais donc habillée – à la campagne ! – d'une robe en soie marron puce, avec un immense col en dentelle, de chaussures vernies noires et de chaussettes blanches. Les autres petites filles portaient, elles, des robes à smocks en tissu anglais à fleurs (c'était la grande mode), avec culottes bouffantes assorties.

J'en fus malade de jalousie pendant des années.

Grand-père accueillait voitures et calèches au bas du perron, et baisait les mains des épouses.

Grand-mère et moi attendions les invités debout sur la marche du haut.

La seule chose qui me plaisait, c'était d'exécuter d'impeccables révérences aux dames qui me tendaient le bout des doigts en piaillant : « Oh ! mais qu'elle a grandi depuis l'année dernière ! »

S'il faisait très beau, les « grandes personnes » s'asseyaient dans la roseraie, chef-d'œuvre d'Alphonse. Les dames buvaient du thé avec délicatesse, les messieurs avaient droit au porto.

Et moi, j'emmenais garçons et filles de mon âge en barque, braconner le goujon dans le coin le plus boueux de la rivière, où j'organisais éventuellement des batailles, de façon que nous revenions tous sales des pieds à la tête (il fallait bien une semaine pour nettoyer cette horreur de robe en soie marron puce...). Les parents n'osaient rien dire. Même Grand-mère. Les enfants étaient ravis.

S'il pleuvait, nous nous réfugiions dans le salon où je vis, un jour, passer une boule de feu entre deux fenêtres (la foudre !).

Je m'aperçus une autre fois, en crapahutant sous la grande table ronde, dans la bibliothèque, que

Grand-mère portait des culottes ouvertes entre ses jambes et, ô surprise, qu'elle avait des poils au « zizi » ! (Je n'avais encore jamais vu d'être humain, mâle ou femelle, nu. C'était un péché !)

Le *samedi* était jour de confession.

S'il y avait quelques cousins en vacances, ils disparaissaient l'après-midi à bicyclette chez des amis.

Georges nous amenait « à confesse », à l'église du village, Grand-mère, Mademoiselle Anne et moi, toujours en charrette anglaise tirée par Roselyne.

C'était aussi le jour du mystère de Grand-père.

Joseph (le chauffeur) le conduisait, lui tout seul, dans la somptueuse Minerva jusqu'à la petite ville de L., célèbre pour son église romane et ses belles poules. Où il se confessait à un prêtre inconnu (pas aux poules).

C'était une inlassable question que nous nous posions, mes cousins et moi : pourquoi notre cher aïeul allait-il avouer ses péchés à vingt-cinq kilomètres à un abbé lointain, au lieu de notre brave curé à trois kilomètres ? Que faisait-il de si grave pendant la semaine ? Ou quel péché mortel avait-il commis dans sa vie qui l'aurait gêné – même après absolution – au déjeuner du dimanche face à notre cher représentant de Dieu, qui y était toujours invité après la grand-messe ?

Sauf quand ma mère était là.

Grand-mère avait obtenu qu'elle vienne me voir huit jours par an, en été, du fond de son Maroc.

Mais Maman n'avait pas vraiment pardonné à ses parents son mariage forcé. Ni à la Rote d'avoir (à moitié) ruiné son banquier de père (donc son héritage...).

Mes grands-parents craignaient un éclat de sa part envers notre Sainte Mère l'Eglise.

D'autre part, elle (ma mère) ne savait pas trop se débrouiller avec un enfant (moi). Il lui arrivait d'oublier si je m'appelais Victoire ou Victoria. Grand-mère, sèchement, lui rappelait que j'avais été baptisée *Victoire*. Une année, elle (Maman) m'apporta un somptueux cadeau : une djellaba arabe blanche brodée, des babouches blanches et un grand voile blanc (*hidjab*).

Folle de joie, je portai mon costume de princesse arabe au dîner (par dérogation spéciale de Grand-mère, bien sûr !).

Quelques années passèrent tranquillement.

Jusqu'à cette nuit où je fis un horrible cauchemar. Je rêvai que Grand-père mourait.

Le lendemain matin, Mademoiselle Anne m'annonça, bouleversée, que mon aïeul était « monté au ciel » la veille au soir après avoir bu sa verveine.

J'éclatai en sanglots. C'était ma faute. J'avais attiré le diable avec mon rêve idiot. Je fus punie. Grand-mère m'obligea à embrasser la joue froide du cadavre de Grand-père. Je faillis hurler. Elle me murmura : « Reste digne de lui. »

Je restai digne de lui.

Mais je pleurai ensuite pendant des jours entiers dans les bras de Léa et Yvette. La nuit, toujours en larmes, je dormais dans le lit de Mademoiselle.

La messe d'enterrement eut lieu dans l'église du village. Tout le monde était là, y compris les familles des fermiers (sauf mes parents. Ma mère voyageait, on ne savait où ni avec qui. Mon père venait d'être muté au Soudan (?)). On enterra Grand-père dans le caveau des Chappe d'Auteroche, entouré des barres de fer du télégraphe optique inventé par l'abbé Claude Chappe, un oncle dont nous étions très fiers.

Ensuite, eut lieu au château un immense festin avec vins et tout.

Je vis alors avec stupeur les invités sécher leurs larmes, oublier leur tristesse et même se mettre à rigoler entre eux ! Indignée, je le fis remarquer à ma chère cousine Aliénor.

— C'est toujours comme ça ! m'expliqua-t-elle. Moi, quand mon mari mourra, si je me marie et s'il meurt avant moi, je n'inviterai personne, sauf... euh... sauf toi !

— D'accord !

Nous faillîmes à notre tour éclater de rire.

5

La guerre

Le 1ᵉʳ septembre 1939, l'Allemagne envahit la Pologne.

Le 3 septembre 1939, la France, liée à la Pologne, déclare la guerre à l'Allemagne.

Le 18 juin 1940, appel du général de Gaulle.

Le 22 juin 1940, armistice avec l'Allemagne, signé par le maréchal Pétain.

Nous étions au château de Villeserres, serrés autour d'une petite radio apparue de je ne sais où, et que nous écoutions avec angoisse, Grand-mère, Oncle François, Tante Paule, Aliénor et moi. Oncle François et Tante Paule pleuraient. Mademoiselle était repartie chez ses parents, dans leur donjon à moitié écroulé.

(Oncle François avait déjà perdu une jambe à la guerre de 1914, et Tante Paule – une sœur de ma mère qui s'était engagée comme infirmière – l'avait soigné et épousé. Je les aimais beaucoup tous les deux.)

— Mais pourquoi pleurez-vous ? demanda Grand-mère. La guerre est finie...

— D'abord parce que le maréchal Pétain s'est conduit comme un lâche, et nous avec ! répondit d'une voix forte Oncle François. Je n'aurais jamais cru cela de lui. Et puis qui dit que le conflit est terminé ? Avec ce Hitler, il faut se méfier de tout.

Une voiture conduite par un chauffeur inconnu klaxonna au portail fermé pour cause de guerre.

Georges alla ouvrir Elle apportait une lettre pour Oncle François.

Il devait rejoindre immédiatement le gouvernement à Vichy.

Il monta faire sa valise avec Tante Paule.

Une demi-heure plus tard, ce fut au tour d'une jeep militaire de surgir.

Le soldat au volant portait, lui, une lettre de mon père pour... Grand-mère ! Il était dans les Ardennes où il s'était battu. Il demandait à sa belle-mère (enfin, future ex-belle-mère) de m'envoyer le plus vite possible chez ma mère, au fond du Maroc. Il SAVAIT que les Allemands allaient rompre l'armistice et probablement envahir toute la France (mon père était-il un espion ?). Il désirait que sa seule héritière (moi), bien que fille, soit le plus vite possible à l'abri, même avec son ex-femme (Maman) et son énième mari. Pouvait-elle (Grand-mère) m'envoyer d'urgence au Maroc ?

Mon aïeule alla demander conseil à Tante Paule en train d'emballer la jambe de bois de son mari et de boucler sa valise.

Discussion générale.

Il fut finalement décidé qu'Oncle François partirait le premier dans sa voiture de fonction (je crois qu'il s'occupait de chemins de fer français), Tante

41

Paule évacuerait ensuite, sous sa propre et haute direction, sa mère, sa nièce Aliénor et moi dans la Minerva, Aliénor venant juste d'obtenir son permis de conduire (une chance : Joseph n'était plus là, déjà mobilisé).

— Faites tout de suite vos valises, ordonna notre commandante. Prenez le moins possible de bagages.

— Et où allons-nous ? demanda timidement Grand-mère à sa fille.

— A Saumur.

Mon aïeule ne dit rien. Peut-être ne savait-elle pas où se trouvait exactement Saumur ? Ou plutôt, je m'aperçus – beaucoup plus tard – que, lorsque les parents vieillissent, ce sont leurs enfants qui les commandent (c'est ce qui est en train de m'arriver).

Pendant que nous finissions nos valises, Tante Paule alla prévenir Georges et Léonie de notre départ. Ils commencèrent immédiatement à fermer tous les volets du château. Grand-mère et Tante Paule cadenassèrent leurs chambres. Elles pleuraient toutes les deux, Georges et Léonie aussi. Nous les embrassâmes.

Je ne comprenais pas ce désespoir général. Je ne savais pas ce que signifiait une guerre. J'étais encore une enfant, heureuse, secrètement, de retrouver sa mère : c'est tout !

— Où allons-nous finalement ? demanda Aliénor au volant.

— A Saumur, répéta Tante Paule. Ton cousin Paul y a loué deux pièces (il travaillait lui aussi dans une banque), il m'a téléphoné hier soir qu'il partait pour le front et qu'elles étaient à notre disposition.

Léonie surgit avec un immense pain qu'elle avait

fait elle-même, comme d'habitude, et qu'elle me tendit.

— Peut-être vous ne trouverez pas à manger sur le chemin...

Une heure plus tard, nous rattrapâmes la grand-route et je compris ce qu'était la guerre.

Des bombes allemandes tombaient autour de la Minerva insérée dans une foule d'autres voitures qui avançaient à dix à l'heure, des files de charrettes traînées par des bœufs, des paysans marchant courbés sous des baluchons, et même des soldats à vélo qui – je l'appris plus tard – fuyaient le front.

Des véhicules divers étaient renversés dans les fossés. Des gens blessés criaient « Au secours ! ». Une femme hurlait en accouchant seule sur le bord de la route. Elle avait perdu mari et sage-femme. Je vis ce qui me sembla être des cadavres dans les champs.

L'enfer.

Nous atteignîmes Saumur le soir. Effondrées, épuisées, affamées (malgré le pain entièrement dévoré).

Tante Paule savait où était l'appartement de son fils et avait le double de la clé.

Nous entrâmes chancelantes et sans avoir le courage de nous déshabiller. Il n'y avait que deux petits lits. Grand-mère et Tante Paule se couchèrent sur le premier tout habillées, serrées l'une contre l'autre. Sur le deuxième, dans l'autre pièce, je m'accrochai à Aliénor.

Le lendemain matin, nous allâmes nous présenter à la concierge qui, gentiment, nous apporta deux matelas empruntés aux voisins du dessus (enfuis eux aussi en Espagne), et une soupière de bouillon réconfortant.

43

Elle nous prêta également deux bicyclettes que nous enfourchâmes, Aliénor et moi (ma chère cousine avait camouflé la Minerva dans une écurie), pour faire le tour des fermes dans la région, y acheter du fromage à dix fois le prix habituel. Heureusement, Aliénor avait emporté toutes ses économies.

Pendant ce temps-là, Grand-mère et Tante Paule couraient partout pour me trouver une place dans le bateau qui emmenait des réfugiés de Port-Vendres à Casablanca, où ma mère avait fait savoir qu'elle m'attendait.

Le lendemain était un dimanche.

Je tirai de ma valise ma belle robe blanche (l'ex-djellaba que Grand-mère, qu'elle agaçait, avait fini par faire raccourcir par la couturière qui venait à la maison tous les jeudis), des chaussettes blanches et mes souliers vernis. Bref, j'enfilai ma tenue la plus élégante. Je tressai impeccablement mes nattes que je portais depuis deux ans (bien que Grand-mère, qui m'apprenait le piano, tirât violemment dessus si j'avais le malheur de faire une fausse note. Du coup, j'avais fini par détester le piano et même la musique. A mon grand regret maintenant).

Je sortis et commençai à traverser le pont sur la Loire pour aller à la messe dans une grande église (la cathédrale ?), de l'autre côté du fleuve.

A ce moment-là, deux avions italiens apparurent, volant très bas, et me mitraillèrent (Dieu merci, c'étaient de mauvais mitrailleurs).

— Couche-toi par terre, ma chérie ! Couche-toi ! hurla Tante Paule qui m'avait suivie mais n'était qu'au début du pont (Grand-mère, fatiguée, était restée au lit).

— Non ! criai-je à ma tante. Je vais salir ma belle robe blanche !

Les aviateurs italiens devaient parler le français car je les vis rire en sortant la tête de leurs avions.

Qui disparurent.

Je mis des années à leur pardonner. Cependant, quand, beaucoup plus tard, je dus faire le tour de l'Italie tous les mois, pour mon travail, je ne pus m'empêcher de déjeuner à la table d'hôte des meilleurs restaurants, avec toutes sortes de représentants italiens. Je les trouvais gais et beaux... et je tombais facilement amoureuse (pendant une heure ou deux...). Hélas, les tables d'hôte ont disparu (même en France) !

Deux jours plus tard, Grand-mère, qui n'était jamais sortie en ville sans sa femme de chambre derrière elle, pour l'escorter, monta, seule, dans un train avec moi et ma valise. Direction Port-Vendres.

Nous changeâmes je ne sais combien de fois de convoi, et arrivâmes dans la nuit au petit port qui était désert. Et paisible. Aucune atmosphère de guerre telle que je venais de la vivre.

Un brave marin, qui voyait Grand-mère boitiller avec sa canne et moi succomber sous le poids de ma valise (je n'avais pas pu m'empêcher d'emporter tous mes Jules Verne), nous suggéra d'aller dormir dans un petit hôtel très confortable, tout proche. Et de revenir le lendemain matin, le bateau des réfugiés ne partant qu'à 8 heures et demie.

Grand-mère avait une manie qu'elle me transmit.

Elle était d'habitude toujours très en avance. Sauf ce matin-là, où le concierge (de l'hôtel) oublia de nous réveiller. Trop de réfugiés. (Je me demande parfois ce que je serais devenue si j'avais raté ce bateau-là.)

A 8 h 20 cependant, nous étions au pied de la passerelle.

Mon aïeule, habituée à être bien traitée, réclama le commandant pour me confier à lui. Il fit répondre par un marin qu'il était occupé.

Heureusement, un sous-officier passait par là. Grand-mère l'arrêta sèchement, réclamant son aide. Gentiment, le sous-officier nous confia à un nouveau matelot qui nous accompagna jusqu'à la cabine que je devais partager avec une charmante jeune dame grecque.

Grand-mère se précipita sur elle, haletante, et lui expliqua le problème. Sa petite-fille (moi) voyageait toute seule jusqu'à Casablanca (Maroc) où l'attendait sa mère. Cette aimable et ravissante personne, qui partageait ma cabine, pouvait-elle veiller sur moi ?

— Mais avec plaisir ! s'exclama l'adorable créature du Pirée. N'ayez aucune inquiétude !

A ce moment-là, la sirène du départ du bateau retentit.

— Merci ! Merci ! s'exclama Grand-mère qui n'eut que le temps de descendre du navire avant que celui-ci ne l'emmenât, elle aussi, en Afrique du Nord.

Quand je revis mon aïeule, quelques années plus tard, je ne lui avouai pas que je n'avais jamais vu la superbe créature hellène, qui courait d'une cabine l'autre à la recherche de messieurs seuls (?). Du moins, je le supposais.

Lorsque je fus assurée d'être tranquille, je fermai la porte à clé, me déshabillai et enlevai le terrible corset très serré que je portais depuis des années pour avoir une silhouette bien droite et élégante, comme il convenait, paraît-il, à mon rang (!). Puis j'ouvris le hublot et jetai le corset détesté dans la Méditerranée. Adieu, saloperie !

C'est alors que je m'aperçus que je m'étais par la même occasion débarrassée des boutons auxquels s'accrochaient mes culottes Petit-Bateau. Je débarquai donc plus tard à Casa le derrière nu sous ma jupe plissée. Personne ne s'aperçut de rien.

En attendant, le navire des réfugiés fendait doucement la mer, longeant de très près les côtes espagnoles (à cause des sous-marins allemands).

Soudain, un énorme choc.

Nous avions heurté un gros rocher qui avait fait un trou dans la coque, juste au-dessus de la ligne de flottaison.

La voix du capitaine retentit avec force : « TOUS AUX CANOTS DE SAUVETAGE ! »

On se précipita. Moi y comprise.

Je m'aperçus alors que j'avais oublié dans la cabine ma chère montre, offerte par mes grands-parents pour ma communion. Impossible de mourir sans elle ! Je redescendis à toute allure, l'attrapai, remontai... il ne restait plus de place dans mon canot.

Si ! Une toute petite entre deux gros messieurs.

Je me glissai entre eux et m'assis. Sauvée !

Je sentis alors deux fortes mains empoigner ma

taille, me soulever, et me déposer hors du canot. J'ouvris la bouche pour crier.

La refermai.

Un homme d'une cinquantaine d'années, assez mince, installé à ma place, me regardait froidement. Méchamment.

Les deux gros bonshommes avaient assisté à la scène sans bouger.

Je restai stupéfaite.

Je croyais jusque-là (on m'avait appris) que les hommes étaient des chevaliers qui donnaient leur vie pour sauver les femmes et les enfants...

Ce fut ma première leçon sur le monde. Et les mâles...

Le capitaine réapparut. La météo était bonne et la mer serait calme jusqu'au Maroc à condition d'aller lentement. De fait, le bateau entra sans problème dans le port de Casa.

J'aperçus ma mère qui m'adressait de grands gestes.

A côté d'elle, les mains dans les poches (geste interdit chez Grand-père), les sourcils froncés, l'air mécontent, un immense gorille.

Qu'est-ce qui m'attendait ?

Le Maroc

6

Pensionnaire au Maroc

Une magnifique voiture avec un chauffeur arabe
nous attendait sur le port. Mon beau-père (dont
j'appris le nom : Edmond V.) monta devant, nous
laissant derrière bavarder, ma mère et moi.

Je découvris plein de choses :

• Nous n'allions pas à Tedders dans le Sud marocain, mais à Rabat, la capitale (une très jolie ville,
blanche et lumineuse), notre Gorille ayant été
nommé à la Résidence (lieu du gouvernement
français).

• Le couple habitait dans une charmante villa,
entourée de palmiers et d'orangers, où ma mère
m'avait préparé une adorable petite chambre. J'y
serais chez moi – merci, Maman !

• Cependant, elle m'avait inscrite comme pensionnaire dans un très chic couvent (catholique, bien
sûr), le meilleur du Maroc, où j'aurais plein d'amies
françaises. Malheureusement, il était à l'autre bout
de la ville (derrière le palais du sultan) et elle (ma
mère) n'avait pas le temps de m'y emmener le matin
et de me ramener le soir à la maison, très occupée

qu'elle était à cause de son mari. Mais je sortirais tous les week-ends que je passerais moitié rue de Kénifra, moitié à la plage. Car Rabat était au bord de la mer.

Bref, j'aurais une vie merveilleuse.

Je fus un peu déçue par mon « adorable petite chambre ». C'était une lingerie. Y tenaient juste un divan minuscule, une table naine et une chaise de bébé devant une fenêtre sans volets. Le placard occupait les trois quarts de la pièce, contenant les vêtements de ma mère et de son mari qui entraient et sortaient « chez moi » sans frapper.

Autre découverte : ils avaient des chambres séparées, avec deux lits dont un vide dans chacune. Curieux.

Et surtout, mon beau-père ne m'avait pas adressé un mot depuis que j'étais arrivée. Ni « Bonjour ! », ni « Avez-vous fait un bon voyage ? ». Juste jeté un coup d'œil. Puis il était parti à son bureau.

— Il ne m'aime pas ! dis-je plaintivement à ma mère.

— Il déteste les enfants, m'expliqua-t-elle froidement. J'ai dû me battre pour qu'il admette que tu viennes ici.

Ah bon ! Je fus très surprise. Je ne connaissais personne qui n'aimait pas les enfants. Je n'avais pas encore lu Hervé Bazin et fait connaissance de sa Folcoche.

Heureusement, je me découvris deux amis.

D'abord Hammadi, le chauffeur et l'homme à tout faire de la maison. Un Berbère. Pendant les années où je vécus à Rabat, il s'occupa de moi avec la tendresse d'une mère. Un jour, beaucoup plus tard, je m'aperçus qu'il avait une femme et des enfants qui vivaient dans la cave. J'en fis la remarque à ma mère :

— Ne pourrait-on pas leur construire une petite maison dans le fond du jardin ?

Elle rougit de colère.

— Il me semble que tu oublies que tu n'es pas chez toi !

Mon deuxième copain était Namar, un chien de bled, c'est-à-dire sauvage et ressemblant à un lion. Certains prétendaient même que c'était un bâtard de lion et de bergère allemande. Il aimait Hammadi et, à la surprise générale, me fit fête quand j'arrivai.

Quand je compris que ma mère sortait tous les soirs (avec ou sans le Gorille) et se réveillait le lendemain matin entre 11 heures et midi, après quoi elle se barbouillait de « crème de 8 heures * » et de divers produits de beauté, déjeunait rapidement et se recouchait pour une sieste, je pris, moi aussi, l'habitude de piquer un petit somme sur la pelouse... entre les pattes de Namar. Nous adorions cela tous les deux.

Quelquefois, je m'amusais à lui glisser des allumettes dans les narines. Quand il en avait assez, il me repoussait doucement avec une de ses énormes pattes et je roulais en riant dans le jardin en pente.

Un jour, Edmond V. déjeuna à la maison et prévint Maman qu'une dame viendrait la voir pour une

---

* J'ai lu récemment dans je ne sais quel journal qu'Elizabeth Arden avait d'abord créé cette célèbre crème pour ses chevaux... Je pense que ma mère ne s'en est jamais doutée.

petite visite vers 15 heures. Ma mère fit la grimace : elle n'aimait que les hommes. Mon beau-père, qui le savait, lui recommanda sèchement d'être le plus aimable possible, le mari de la dame en question étant un personnage très important pour sa carrière.

Puis il ordonna à Hammadi d'enfermer le sauvage Namar dans son bureau.

A moi, il ne dit pas un mot, comme d'habitude (ni-bonjour-ni-bonsoir-ni-rien), d'autant plus que j'avais trouvé un truc pour me venger de son terrible silence. J'avais remarqué qu'il avait horreur du bruit de la nourriture mâchée trop fort à table. J'avais donc recommandé à Hammadi de griller au maximum mes tartines et je les croquais en faisant des *crac-crac* les plus bruyants possible. Il me regardait avec fureur. Ravie, je prenais un air innocent.

A 15 heures, cet après-midi-là, la sonnette de la porte du jardin retentit. J'étais en train de lire sur un banc un de mes Jules Verne bien-aimés. La dame au mari si important entra et se précipita sur moi en piaillant et... en m'embrassant avec force sur les joues :

— Ah, que je suis contente de vous connaître ! J'ai tellement entendu parler de vous ! (Tiens ? Par qui ?) Mais que vous êtes mignonne ! J'aurais tant aimé avoir une petite fille comme vous.

Cette personne ne savait vraisemblablement pas que les enfants ont généralement horreur d'être embrassés par des inconnus. Je me débattis en criant.

Namar, qui regardait la scène du bureau de mon beau-père, crut que cette femme agitée voulait m'enlever. Il sauta à travers la vitre de la fenêtre (qui fut fracassée), se précipita sur la créature et lui bouffa entièrement la fesse droite.

La bonne femme hurla. Ma mère, Hammadi, les voisins se précipitèrent. On emmena la personne si importante à l'hôpital où elle resta des mois.

Je crois bien que la Sécurité sociale n'existait pas encore.

Je sais simplement que cela coûta une fortune à mon beau-père.

Qui en réclama le remboursement à mon père.

Qui le lui envoya, mais le reprocha violemment à ma mère.

Qui m'en voulut jusqu'à sa mort... une fois de plus !

Le jour arriva où je fis ma valise pour le pensionnat Sainte-Jeanne-d'Arc, une grande et belle bâtisse à Rabat-Laguedal, entourée de superbes villas entourées elles-mêmes de magnifiques jardins et côtoyant le fameux parc du palais du sultan (la rumeur courait qu'il lâchait les lions de son zoo sur les Français invités à ses cocktails).

Ma mère m'y conduisit la première fois en voiture avec chauffeur (au pensionnat, pas chez le sultan) et me présenta à la Mère supérieure qui était toute petite avec des poings minuscules. Mais quand elle les serrait avec colère, gare à l'orage !

Je dus m'habituer à une nouvelle vie. Dormir dans un immense dortoir blanc, au milieu de je ne sais combien d'autres filles, dans un tout petit lit blanc (décidément !), entourée d'autres draps – toujours blancs – suspendus à des tringles par des anneaux que nous devions tirer suivant les circonstances). Une fois en chemise de nuit, l'uniforme bien plié sur la chaise, le drap donnant sur l'allée centrale, ouvert, nous nous mettions à genoux, le front appuyé contre le lit, et nous attendions le signal de la religieuse (que nous devions appeler « Madame »...) pour réciter les prières du soir : le « Je vous salue, Marie », le « Notre Père » et le « Credo ».

Puis, hop ! dans le lit, toutes lumières éteintes sauf une. Nous étions censées nous endormir au son du pas lent de notre bonne sœur qui allait et venait dans l'allée centrale, en égrenant son chapelet. Et en vérifiant (coup d'œil à droite, coup d'œil à gauche), qu'aucune élève n'essayait de bavarder à voix basse avec une de ses voisines.

Ensuite, quand il lui semblait que nous dormions toutes, elle allumait une petite veilleuse et allait se coucher à son tour dans sa cage en draps blancs.

A 6 heures, le lendemain matin, elle se levait, s'habillait rapidement, tapait dans ses mains en criant : « Mesdemoiselles, il est l'heure de vous lever, de réciter votre prière du matin, et de vous vêtir. »

J'appris rapidement à me laisser glisser hors du lit, sur les genoux, et à marmonner un « Je vous salue, Marie » avant d'aller tirer (pour le fermer) le drap donnant sur l'allée centrale. J'enfilais ensuite mon uniforme et je courais me laver les dents. Nous avions droit chacune à un lavabo, un verre, notre brosse à dents plus notre dentifrice (apportés par nous) et un peigne. Au-dessus du lavabo, un petit miroir où il était recommandé de ne jamais se regarder. Habitude que j'ai gardée !

Les pensionnaires n'avaient droit à une douche qu'une fois par semaine (le samedi), et encore... revêtues d'une chemise de nuit ! Bienheureuses celles qui sortaient le week-end chez leurs parents, comme moi qui adorais me tremper longuement toute nue dans la baignoire de ma mère.

La religieuse, Madame Charles, frappant dans ses mains :

— Mesdemoiselles, vous êtes prêtes ? Alors, en rang par deux, et en silence, pour la messe.

La chapelle était à l'autre bout du couvent. J'en profitais pour brosser mes petits cheveux maigres (un des cauchemars de ma vie !) et les natter.

Grâce à Grand-mère, j'étais, à cette époque-là, très pieuse. Je suivais donc la messe attentivement dans le gros missel qu'elle m'avait offert. Et regardais avec indignation mes voisines lire avec passion de petits livres ou journaux (style *La Semaine de Suzette* ou *Bécassine*) qu'elles avaient glissés dans leur livre de prières.

Communion. *Ite missa est.* Et, vite, en rang par deux de nouveau et, toujours en silence, nous nous précipitions à la salle à manger, affamées.

Un bol de café au lait bien sucré, du pain arabe (délicieux) avec une larme de beurre. Seules les filles de colons avaient apporté de leur bled des pots de confiture ou du miel qu'elles partageaient gentiment avec nous, les citadines. C'était un bon moment, surtout que nous avions le droit de parler ! Ce qui n'était pas le cas au déjeuner ni au dîner où une élève nous lisait à voix haute et monotone la vie des saints. Nous n'écoutions pas, occupées que nous étions à pousser sur le bord de nos assiettes les charançons cuits avec les nouilles ou les vers blancs écrasés dans les pois chiches.

Je ne savais pas encore que je connaîtrais pire : la faim.

Après le déjeuner, récréation d'une heure pour bavarder ou jouer à la balle au camp. La première année, je ne participai à rien. Triste, dans un coin, je ne parlais à personne.

Quant à ma mère, elle n'était presque jamais à la maison, sauf le samedi de temps en temps. Elle envoyait alors Hammadi chercher une *carossa* (vieille calèche indigène avec cheval et cocher arabes) et nous allions à la médina * acheter des monceaux de fleurs. Une fois rentrées, nous répandions des bouquets de fleurs dans toutes les pièces. Cela me faisait chaud au cœur.

Mon beau-père continuait à me faire la gueule.

Il disparaissait pendant des heures entières sans dire où il allait. J'appris beaucoup plus tard qu'il avait pris l'habitude de se rendre au cimetière sur la tombe de sa mère (j'ignorais même qu'il avait eu une mère... !).

Dès qu'il était parti, ma mère m'envoyait chez sa masseuse et amie... chercher du courrier pour elle dont elle m'avait fait jurer de ne parler à personne, surtout pas à son Gorille. Je promis. Trompait-elle son mari ? Oui, bien sûr ! Tant pis pour lui !

Un jour, la Mère supérieure me convoqua.
Je fus d'abord terrorisée. Qu'avais-je fait de mal ?
Justement, de ne participer à rien. De rester triste

* Médina : ville arabe.

dans un coin. De ne parler à personne. De n'avoir pas d'amies. De pleurer la nuit (comment diable le savait-elle ?), etc.

Mais ce qui l'avait surtout surprise, c'est que, malgré mon jeune âge, je payais mes factures moi-même, y compris mon uniforme (jupe bleu marine plissée, blouse blanche et affreux chapeau, blanc et épais, en forme de pot de chambre !).

Je lui expliquai que mon père envoyait ma pension tous les mois à ma mère (il avait élégamment pris tous les torts du divorce à sa charge, m'apprit-il plus tard), je ne lui dis jamais que Maman avait décidé que je devais apprendre le plus tôt possible qu'un sou était un sou... Elle-même n'en avait pas (ah bon ?), son mari étant radin.

Ce qui ne les empêchait pas de donner de grandes réceptions.

Je suis injuste. Elle me fit faire par la petite couturière du mercredi UNE robe à smocks (hourrah !), dans un vieux rideau rouge à fleurs blanches, que je portai longtemps. On rallongeait l'ourlet année après année.

J'étais habituée. Ma grand-mère faisait la même chose avec mon manteau bleu marine du Sacré-Cœur. La première année, ledit manteau était trop long. La deuxième année, il allait juste bien. La troisième année, une ligne blanche marquait que l'ourlet avait été rallongé au maximum !

— Très bien ! s'était exclamée ma mère. Tu sauras ainsi que nous n'avons plus d'argent depuis que la Rote, au Vatican, a pratiquement ruiné ton grand-père, enfin mon père. Quant à ton imbécile de grand-père Buron, il a encouragé les clients de sa banque à Pau à acheter des emprunts russes. Quand ils ont fait faillite, ce fou les a tous remboursés avec sa propre fortune ! Tu dois prévoir que personne de nos familles ne te donnera jamais un sou. Tu devras gagner ta vie toi-même, le plus tôt possible.

Ce qui fut vrai.

— Qu'est-ce que c'est que cette histoire de Rote au Vatican ? demanda, stupéfaite, la Mère supérieure. Votre mère ne m'en a pas parlé.

J'éclatai en sanglots et lui racontai toute ma jeune histoire.

Elle hocha la tête.

— Bien. Nous allons essayer de vous aider. Non pas financièrement, bien sûr, mais à devenir quelqu'un de courageux. De travailleur. Je vous rappelle que vous êtes d'une famille où l'on ne doit pas pleurer. Mais se battre.

Elle me parla longtemps.

Je l'écoutai avec passion.

Ma vie changea. Je changeai aussi. C'est moi qui, le matin, hissais le drapeau français dans la cour en chantant, accompagnée par toutes les élèves :

> *C'est nous les Africains*
> *Qui revenons de loin*
> *Nous venons des colonies*
> *Pour sauver la patrie*
> *Etc.*

Je jouais avec passion à la balle au camp. Je devins rapidement capitaine d'une équipe.

Je me mis à travailler dur, surtout en français, aidée par ma religieuse préférée et qui m'aimait beaucoup : Madame Charles-Marie. Malheureusement, elle s'occupait aussi de la bibliothèque où les livres m'exaspéraient par leur naïveté un peu bêtifiante : *Bernadette, jeune fille...*, *Bernadette, jeune femme...*, etc.

Ma mère eut alors l'idée géniale de ranger les bouquins qu'elle avait déjà lus dans... les W.-C. ! Chez elle, le dimanche matin, je descendais donc à l'aube. M'enfermais dans les « petits coins » et me plongeais dans George Sand, Balzac, Zola, Gide, etc. *La Porte étroite* m'éblouit.

Ce qui me surprit, c'est que jamais Edmond V. ne me dénonça.

Les religieuses déclarèrent que je dessinais et peignais très bien (pour mon âge). Elles m'inscrivirent aux Beaux-Arts de Rabat. M'y conduisant, deux par deux, le jeudi après-midi. Faisant le tour des pièces pour être sûres que je ne verrais pas d'homme nu (l'horreur pour elles !). Ensuite, elles allaient prier à la cathédrale pendant que je dessinais ou peignais avec ferveur. Mon arrivée entre deux bonnes sœurs surprit, au début, les autres... artistes ! Mais ils s'y habituèrent.

Je pris l'habitude, pendant les vacances, d'aller à la plage accompagnée de Namar, mon chien de bled bien-aimé, que le Gorille avait gardé malgré les cris de ma mère. On traversait la médina où le mellah *. Je portais un carnet de croquis sous le bras.
Tous les commerçants du souk me connaissaient.

---

* Mellah : ville juive.

Certains me demandaient même de dessiner le portrait de leurs enfants, ce que je faisais avec plaisir. Et ils me donnaient quelques sous (si ! si !) lorsque je ne voulais pas d'une dixième paire de babouches.

Je faisais des économies (que je cachais dans un affreux petit cochon en porcelaine) pour m'acheter une bicyclette.

Hélas, un drame éclata.

Ma mère adorait, le soir, quand elle ne sortait pas, jouer au poker avec son mari et un copain (que je soupçonnais d'être l'un de ses amoureux, un amant, même, peut-être). Mais il manquait un quatrième joueur. Elle décida que ce serait moi. M'apprit donc, malgré mon peu d'enthousiasme, ce jeu de cartes. Je me débrouillais le mieux que je pouvais.

Un soir, il y eut un gros « pot » alors que j'avais trois rois.

Hourra ! Ma bicyclette se rapprochait.

Malheureusement, l'éventuel amant de ma mère abattit trois as. A mon désespoir, il ramassa le « pot » et attendit que je lui verse encore un supplément.

Ma mère me regarda, comprit ma détresse, et me dit d'un ton sec : « Dette de jeu : dette d'honneur. »

Depuis, je n'ai plus *jamais*, *jamais*, joué aux cartes (sauf à la bataille ou à la crapette avec mes petits-enfants). Au grand chagrin de ma chère belle-mère quand je me mariai, beaucoup plus tard. Elle me suppliait de l'accompagner à des bridges très mondains chez des amies, à la campagne, presque tous les après-midi.

Bien que je l'aimasse beaucoup, je refusai toujours. Et mis des années à lui avouer que j'avais été une joueuse de poker... !

Une année, en été, je fus invitée un mois en vacances par le caïd * de Tedders.

Je passai chez lui des jours merveilleux, appris à galoper à cheval en jetant un fusil en l'air et en le rattrapant (très difficile, la fantasia, mais très amusant). Cela mit cependant mon père dans une violente colère, remarquable cavalier comme l'on sait, qui me reprocha, quand j'allai chez lui à Alger pour les vacances de l'année suivante, de galoper comme un affreux cow-boy (la honte pour une Buron !). Je dus apprendre à monter avec deux pièces de monnaie coincées entre mes genoux et les flancs du cheval, pièces que je devais lui rapporter au bout de quelques kilomètres. Je n'y arrivais jamais, ce qui faisait rigoler les petits sous-lieutenants qui venaient assister à l'engueulade de la fille de leur commandant.

Je n'avouai pas à mon père mes exploits de Tedders, ni que j'avais dormi dans le harem du caïd, n'étant pas sûre qu'il aurait apprécié. Bien entendu, le caïd ne me demanda pas en mariage et ses femmes me chouchoutèrent.

Une autre fois, toujours pour les vacances, ma meilleure amie à Sainte-Jeanne-d'Arc (et qui l'est restée) m'invita chez ses parents, près de Marrakech. Ils étaient merveilleux. Son père était aussi officier

_____

* Caïd : chef arabe.

des Affaires indigènes, et je pense à sa mère chaque fois que j'entends dire du mal sur le rôle des Français dans les colonies. On venait la chercher très souvent la nuit pour accoucher des femmes dans le bled. Elle se levait immédiatement et allait « aider ». Elle nous emmenait parfois pour faire chauffer de l'eau et nettoyer le bébé.

J'appris ainsi plein de choses*.

Mais mon meilleur souvenir reste l'arrivée des vols de sauterelles qui, naturellement, désolaient les paysans et les colons. Parfois, il y en avait tellement que le ciel devenait noir. Ma chère copine Bénédicte et moi, nous nous précipitions dans les villages ou à Marrakech même, où les petits Arabes qui avaient ramassé plein de ces bestioles les faisaient griller sur des braseros. Et les vendaient dans des cornets en papier journal, comme des marrons, avenue des Champs-Elysées.

Nous en achetions des quantités que nous nous partagions. Bénédicte préférait les pattes et moi le ventre que je trouvais onctueux comme un blanc de poulet.

Bref, j'étais heureuse.

SAUF que je m'entendais de moins en moins bien avec ma mère. Désormais, non seulement j'allais chercher son courrier clandestin chez sa masseuse, mais elle me lisait les lettres de ses amoureux. Avec

---

* Si j'étais au gouvernement (j'en rêve parfois !), j'interdirais à tous ces intellectuels qui n'ont jamais vécu dans les colonies de dire tellement de mal de notre action là-bas – qui a construit les premiers hôpitaux, les routes, les écoles, etc. ?

l'éducation très chaste des religieuses, après le pieux silence de mes grands-parents (surtout celui de ma janséniste de Grand-mère), je ne comprenais rien aux rapports sexuels. Du reste, cela ne m'intéressait pas. Sauf le jour où le confesseur du couvent me demanda : « Est-ce que vous vous... touchez ?... » Je répondis, surprise : « Pourquoi ? Je ne suis pas malade ! – Ça ne fait rien ! Ça ne fait rien ! » répondit, affolé par sa gaffe, mon pauvre abbé. Il me fallut mon mariage pour découvrir l'Homme – et son sexe. Terrifiant. Mais cela s'arrangea très bien, merci !

Un jour, ma mère décida que je serais son infirmière. Je la lavais entièrement nue, fesses comprises. Elle se plaignait d'être insomniaque : le soir, je devais appuyer fortement mes mains sur ses chevilles jusqu'à ce qu'elle s'endorme. (Il m'est arrivé de tomber dans le sommeil avant elle. Drame.)
Heureusement, un Américain s'installa à la maison. Il me sauva !

7

Un père d'un mois

Il s'était passé beaucoup de choses en un an.

D'abord, au fur et à mesure que je grandissais, ma mère devenait de plus en plus jalouse de moi.

A quinze ans, je tombai (un peu) amoureuse d'un étudiant, fils d'un ex-patron de journal français (réfugié lui aussi avec ses parents dans une très belle villa aux environs de Rabat).

Il passait souvent le soir, vers 18 heures, bavarder livres avec moi. Un jour où je l'attendais, assise cachée dans l'angle de l'escalier, je sentis une présence dans mon dos. Je me retournai : ma mère me chuchota :

— Tu crois qu'il vient pour toi ? Eh bien, non, c'est pour moi !... Bien que ce soit un affreux petit Juif idiot !

Je la crus. Elle séduisait tellement bien les hommes.

J'eus un coup au cœur.

Je repartis en pleurant passer la nuit au couvent.

Le lendemain matin même, les Américains débarquèrent au Maroc.

Nous étions à la messe. Les bombes se mirent à pleuvoir autour de notre chapelle et du palais du sultan.

Les religieuses ne bougèrent pas d'un pouce. Les élèves les imitèrent avec fierté !

Je décidai cependant de rentrer à la maison avant le réveil de ma mère.

Quand elle me vit, elle me dit sèchement :

— Puisque tu préfères tes bonnes sœurs à ta mère, tu peux repartir chez elles !

Je ne me le fis pas dire deux fois.

Quelques jours plus tard, cependant, je reçus une lettre de ma génitrice me priant de reprendre la vie d'avant : semaine au pensionnat – week-end à la maison. J'obéis. Mais la tempête se remit à souffler.

Un dimanche, mon propre père sonna à la porte du jardin (il venait soit d'Algérie, soit de Madagascar, soit de la Légion étrangère, je ne me rappelle plus). Il partait pour l'Italie se battre avec l'armée américaine contre les Allemands.

Curieusement, autant ma mère le reçut froidement, autant mon beau-père parut ravi de le voir. Les deux hommes firent ami-ami et mon père décida le Gorille à s'engager dans la guerre, avec un goum * (il parlait bien sûr arabe et berbère, comme mon père, du reste).

Maman, naturellement, fit une nouvelle crise de nerfs à l'idée de rester seule à la maison et se roula sur le tapis en hurlant. Mais son mari, dont j'avais

---

* Goum : contingent militaire fourni par une tribu à l'armée française.

compris qu'il ne l'aimait plus, haussa simplement les épaules. Et partit.

Elle décida alors que je ne serais plus pensionnaire à Jeanne-d'Arc, mais m'installerais à la maison une fois pour toutes, avec elle, pour lui tenir compagnie. Je commençais à craindre que ses nerfs ne craquent pour de bon.

Et les miens aussi.

Je revécus donc une vie d'enfer jusqu'au jour où la Résidence lui demanda de prendre chez elle, dans la chambre du Gorille, un charmant Américain (que je revis plus tard ambassadeur à Madrid)...

Elle devint naturellement sa maîtresse.

Et moi, je retournai, enchantée, à mon couvent. D'autant plus que, pour la distribution des prix, ma classe devait jouer *Les Trois Mousquetaires*, et moi... d'Artagnan ! Avec bottes, panache, épée, etc.

J'adorai et décidai de devenir comédienne.

A la fin, tous les parents applaudirent debout. Parfaitement : une *standing ovation* ! Et l'on m'apporta le plus beau bouquet de ma vie.

J'allai remercier ma mère, venue exceptionnellement assister à la représentation.

— Mais ce n'est pas moi qui t'ai envoyé ces roses ! s'écria-t-elle. (Elle ajouta avec une sorte d'humour :) J'ai l'habitude de recevoir des fleurs, pas d'en donner...

— Ben... alors qui ? demandai-je bêtement.

— Aucune idée. Peut-être ton affreux petit Juif.

J'eus la tentation de tirer mon épée de son fourreau et de la lui plonger dans le cœur. Bien sûr je ne le fis pas. Je tournai simplement mes bottes et allai embrasser ma chère Mère supérieure (ce n'était pas elle, naturellement, qui m'avait fait porter ce somptueux bouquet. Je ne sus jamais qui était le généreux donateur).

L'Américain disparaissait pendant les week-ends où je venais à la maison. Il me sembla que c'était par délicatesse à mon égard. Bien qu'une fois je l'aie aperçu en train d'embrasser ma mère, agenouillé contre le divan du salon où elle était voluptueusement allongée. Je me sauvai dans le jardin où je crus vomir.

John disparut complètement le jour où mon beau-père revint de guerre. Sans prévenir. Peut-être n'aimait-il pas se battre ? Ou était-il blessé au bras ? (Je ne me rappelle plus.)

Ma mère n'apprécia pas son retour.

Elle m'annonça qu'elle allait divorcer... et se remarier !

— Avec John ? demandai-je.

— Il a déjà une femme en Amérique, répondit-elle en soupirant. Non, c'est Yves, tu sais, celui qui est dans la marine à Dakar. Il est fou de moi depuis deux ans et veut absolument m'épouser.

— Mais... heu... il n'est pas un peu jeune ? remarquai-je en bégayant. (Je savais ma mère terriblement sensible aux questions d'âge !)

— Il a quinze ans de moins que moi. C'est pour cela que je l'ai choisi. Je commence à vieillir ; bientôt les hommes ne s'intéresseront plus à ma personne et comme lui il est très gentil et honnête, il me restera fidèle et s'occupera de moi jusqu'à ma mort. Quand je serai gâteuse, il me donnera à manger à la petite cuillère et me lavera comme toi.

(C'est ce qu'il fit, en effet, plus tard.)

Le lendemain, elle prit l'avion pour Dakar.

69

Le week-end suivant, je décidai de sortir en ville malgré l'absence de ma mère. Au moment de traverser la rue pour prendre le bus, je restai saisie, la bouche ouverte, les dents en avant (comme tous les Buron).

La voiture de mon beau-père était là, avec Hammadi au volant, et lui à l'intérieur. Il rit devant ma surprise (je ne l'avais jamais vu rire !), ouvrit sa portière et me demanda :

— Tu accepterais de venir déjeuner au restaurant avec moi ?

Tout d'abord je ne répondis pas. Trop ébahie.

Et puis déjeuner dans un restaurant était (curieusement) considéré comme vulgaire par mon Grand-père. Sauf quand il s'agissait de mon père en permission.

Un long silence s'écoula.

Edmond finit par descendre de sa voiture et me prit par la main.

— Allez, dit-il, viens ! Je ne suis pas aussi méchant que tu crois.

Et il me fit asseoir à côté de lui dans l'auto en disant à Hammadi :

— Conduis-nous au Lyautey.

Le meilleur restaurant de la ville ! Je n'en revenais pas.

Mon beau-père me demanda :

— Tu as envie de manger quoi ?

Je réussis à balbutier :

— Heu... des fri... des frites !...

— Des frites ! s'exclama-t-il. Mais tu dois en avoir souvent à la maison ! Ah, je vois ! Ta mère doit avoir peur de grossir et ne fait servir que des salades. Bon ! Va pour les frites... Et après, je t'emmène au cinéma

voir Micheline Presle et Louis Jourdan dans un film...
paraît-il charmant. Tu as déjà été au cinéma ?

— Non, jamais. Les bonnes sœurs disent que le
diable vous y donne souvent de mauvaises pensées,
et Maman n'a jamais le temps... ou a déjà vu le film.

Le déjeuner fut un des plus joyeux de ma vie. Mon
beau-père sembla s'intéresser à mes études, à mes
chères religieuses, à mes copines, à mes lectures,
même à ma peinture.

Je me sentis l'âme d'une reine : Edmond venait me
chercher tous les week-ends. Commença à m'apprendre l'arabe et le berbère.

J'avais un père.

Ma mère rentra de Dakar au bout d'un mois,
comme prévu. Avec le sourire. Elle me chuchota :

— Les démarches sont compliquées pour Yves. La
marine ne veut pas le laisser partir mais, finalement,
cela va s'arranger.

Par contre, à mes grandes stupeur et tristesse,
Edmond reprit son attitude ancienne : ne m'adressa
plus jamais la parole et recommença à détourner la
tête quand je lui disais « bonjour » ou « bonsoir ».
Plus question de bisous paternels sur les joues.

Maman ne remarqua rien.

Je décidai que « les grandes personnes » étaient
folles. Me replongeai dans mes études, devant passer
mon premier bac à la fin de l'année scolaire.

Je n'appris la vérité qu'il y a quatre ou cinq ans
seulement. Toujours par ma chère Pilar qui, après
avoir soigné ma mère qui mourut entre ses bras,

71

pouponna Yves, mon troisième (ou quatrième) beau-père, devenu gâteux.

Elle connaissait tous nos secrets de famille, y compris la raison de l'attitude de mon beau-père (numéro 2... ou 3 ?).

Celui-ci n'avait plus de famille, sinon sa vieille mère très malade à l'hôpital de Rabat, qu'il était allé voir presque tous les jours.

Un soir, le médecin le prévint qu'elle n'avait plus beaucoup de temps à vivre.

Quand il rentra, bouleversé, à la maison, ma mère l'attendait dans sa plus jolie robe. Furieuse. Avait-il oublié qu'ils étaient invités à une grandissime fiesta à Meknès, et qu'ils étaient déjà en retard ?

Edmond lui expliqua qu'il n'était pas question de se rendre à Meknès, même pour une grandissime fiesta, sa mère étant mourante.

Maman, qui ne s'intéressait pas du tout à sa belle-mère, piqua une de ses habituelles crises de nerfs. Insulta son mari : Il mentait, parce qu'il était jaloux quand elle s'amusait ! C'était un imbécile, du reste, de croire les médecins ! etc.

Bref, elle fit une telle scène (qu'entendirent toutes les villas du quartier, jusqu'à la tour Hassan), qu'Edmond céda. Oui, le Gorille céda.

Ils partirent tous les deux pour Meknès.

Cette nuit-là, la mère de mon beau-père mourut toute seule à l'hôpital.

Il ne pardonna jamais à Maman.

Quitta sa chambre pour celle des invités (explication des deux lits, dont un vide et de mon installation dans la lingerie).

Se mit à vivre le moins possible à la maison.

Et quand j'arrivai de France, décida, de plus, de m'ignorer complètement, pensant ainsi faire de la peine à sa femme. Le pauvre benêt n'avait pas compris qu'elle s'en fichait royalement ! Personne ne lui avait appris qu'il existait des mères qui n'aimaient pas forcément leurs enfants. Et, réciproquement, des enfants qui détestaient leur mère.

Bon... n'en parlons plus !

La date de mon premier bac approchait et je travaillais comme une folle, y compris le week-end, où je n'allais même plus à la maison.

Quinze jours avant l'examen, ma mère me téléphona au couvent : l'avis d'une lettre recommandée m'attendait chez elle, rue de Kenifra.

J'allai la chercher à la Grande Poste.

Mon père m'écrivait :

Ma grande fille,
J'ai l'honneur de t'annoncer que je me suis remarié hier avec Mademoiselle X (pourquoi, diable, avait-il mis un X au lieu du vrai nom ? Mon existence lui était-elle insupportable ?) *qui, je l'espère, sera une grande sœur pour toi. Je t'embrasse.*

Ton père,
A. de Buron.

La « grande sœur » il pouvait se la garder !...

Curieusement, j'étais bouleversée. Après tout, je connaissais à peine mon géniteur. Une très forte fièvre me fit trembler. Je dus me coucher. Les religieuses se précipitèrent pour me soigner et prier pour moi. Rien à faire. La fièvre montait toujours. Je délirais. Elles appelèrent tous les médecins de Rabat qui réussirent enfin à me remettre sur pied.

Chancelante, je passai mon examen.

Et le réussis.

Merci, Notre-Dame de Buron !

Ma mère – à qui je n'avais pas parlé du remariage de mon père, et dont le marin amoureux avait toujours des ennuis avec la marine – décida d'aller à Casablanca se faire soigner pour sa dépression par un grand psychiatre suisse (réfugié lui aussi).

Pendant ce temps-là, je galopais à cheval (toujours comme un cow-boy !) le long de l'immense plage vide (à l'époque le touriste était un animal inconnu) entre Casa et Rabat. Ou bien je lisais avec fascination la littérature russe. J'aimais particulièrement Gogol et me jurai, après avoir rêvé d'être peintre, puis comédienne, de devenir écrivain.

Un jour, Maman m'annonça que le grand psychiatre suisse voulait me voir. Seule. Ah bon !

Il me reçut très gentiment, me déclara tout de go que ma mère était une grande malade, et que je devais la quitter d'urgence. Elevée très pieusement depuis des années, je lui fis remarquer que c'était « mon devoir » de la soigner.

— Vous ne pouvez rien pour elle, m'apprit-il. Elle est complètement névrosée et c'est elle qui vous rendra malade. S'il vous plaît, écoutez-moi ! Ne gâchez pas votre propre vie à votre tour. Rentrez en France. Voyez-la le moins possible. C'est une prescription médicale.

Je hochai la tête en signe d'acquiescement.

— Avez-vous quelqu'un chez qui aller ?

— Je comptais sur mon père, mais il vient de se remarier avec une demoiselle X, dis-je, amère.

— Une demoiselle X ?

J'ouvris mon sac et lui tendis la lettre de Papa soigneusement cachée dans une poche. Il la lut et leva les yeux au ciel.

— Mon Dieu ! Quelle dureté, ces pauvres militaires... Si vous n'avez personne pour vous recevoir, faites-vous inscrire dans un lycée à Casablanca pour votre bac philo, et venez me voir le plus souvent possible.

— C'est que... euh...

— Vous n'avez pas d'argent pour me payer ? Aucune importance. Je ne vous demanderai rien.

Je le remerciai chaleureusement et rentrai à l'hôtel où ma mère avait commencé à faire nos valises.

— Que t'a-t-il dit, le docteur ?

— Oh ! Rien que je ne sache déjà. Tu es malade et tu dois te soigner.

Nous retournâmes à Rabat.

Je n'avais plus qu'une idée en tête : partir ! partir ! partir ! Mais comment ? Je n'avais pas un sou pour prendre l'avion pour la France.

Et où aller ?

Chez qui ?

Je décidai de demander conseil à mon beau-père (bien qu'il se soit réenfermé dans son silence). J'allai carrément à son bureau. Il parut extrêmement surpris de me voir, mais se montra poli.

— Pour l'avion, tu n'as pas besoin d'argent. Tu as un tampon « Réfugié » sur ton passeport. Tu as droit à une place gratuite dans une forteresse volante américaine. Tu prends celle pour Tarbes où se trouve actuellement ton père (comment le savait-il, lui ?) et tu lui poses la question : « Quoi faire maintenant ? » Je suis désolé de ne pouvoir t'aider plus, mais je n'ai plus aucune famille, surtout en France. Et puis, tu connais mes rapports difficiles avec ta mère. Quant à Mademoiselle X, je ne l'ai jamais vue, bien sûr. Mais peut-être est-elle très gentille ? Est-ce que tu sais que ton père s'est drôlement bien battu à Monte Cassino, en Italie, et qu'il a été décoré sur le champ de bataille par le général de Gaulle lui-même ?

Non, je ne le savais pas.

Et, égoïstement, cela m'était complètement égal.

Le Gorille me rendit mon passeport en douce le lendemain, avec toutes les autorisations nécessaires pour monter dans la forteresse volante pour Tarbes (oui ! oui ! il s'en était occupé). Je fus si contente que je lui fis un bisou de remerciement sur la joue. Il me décocha un clin d'œil malicieux et chuchota :

— Ne le raconte jamais à ta maman, hein !

L'après-midi, je me décidai cependant à annoncer mon départ à cette dernière.

Elle piqua une de ses crises de nerfs que je connaissais bien, hurla :

— Je t'interdis ! Ne me laisse pas seule ! Je vais me tuer...

Etc.

Elle se roula une fois de plus sur le tapis berbère blanc du salon. Qu'elle mordit.

Et finit par me menacer :

— En tout cas, ne compte pas sur moi pour te conduire à l'aéroport. Tu iras toute seule, à pied, avec ta valise !

Non. Parce que j'avais prévu cette réaction. « Mon vilain petit Juif idiot » m'attendait au coin de la rue avec son père, dans leur voiture.

Je claquai la porte du salon, saisis ma valise et mon sac qui étaient prêts, cachés dans le grand palmier dattier près de la rue. Et courus rejoindre mes sauveurs.

Ils m'emmenèrent dormir chez eux, puis, le lendemain matin, me conduisirent à l'aéroport. Et me crièrent d'affectueux au revoir tandis que je grimpais dans l'avion :

— Bon voyage ! Et sois heureuse dans la vie !

Je ne les revis jamais.

La forteresse volante américaine était immense, mais sans chaises ni fauteuils. Quand je grimpai dedans, il y avait déjà d'autres réfugiés assis sur leurs valises. Je les imitai.

Nous décollâmes dans un bruit de tonnerre, hublots fermés. Dans le noir, je ne vis rien du paysage jusqu'à ce qu'un jeune copilote américain vînt me trouver, me fît signe de le suivre et m'installât dans le cockpit à côté du pilote.

La vue du détroit de Gibraltar, avec l'océan Atlantique d'un côté et la Méditerranée de l'autre, était splendide. Fabuleux !

J'étais heureuse comme une petite fille en train de croquer du chocolat...

... jusqu'à ce que...

... je sente la main droite du pilote se glisser sous ma jupe (d'uniforme) et me caresser la cuisse.

Je regardai autour de moi. Impossible de me sauver. Encore moins de sauter par la fenêtre du cockpit !

Je donnai une bonne claque sur la main baladeuse. Me levai. Et retournai m'asseoir sur ma valise, dans l'obscurité.

Que ces petits salauds d'Américains apprennent que les adolescentes françaises n'étaient pas si faciles que ça ! Ah, mais !

L'immense avion se posa doucement à l'aéroport de Tarbes.

Mon père et Mademoiselle X m'attendaient avec de grands gestes d'accueil à leur tour.

Ma vie allait changer de nouveau.

Premières découvertes
dans une autre vie

8

Ma très chère Aliénor

Mon père et sa nouvelle femme m'emmenèrent déjeuner à leur petit hôtel où Papa (très beau dans son grand uniforme – mis en mon honneur ? – avec plein de petits rubans sur la poitrine représentant ses nombreuses décorations) me commanda, naturellement, des frites. Il m'avait retenu une chambre... pour deux jours.

Je reconnus immédiatement Mademoiselle X (ou plutôt, maintenant, Madame de Buron). Une des jeunes personnes que j'avais vues, à Alger, des années plus tôt, autour desquelles mon père tournicotait. A moins que ce fût le contraire ! Etait-ce la fille du préfet ? Ou celle du ministre de la Santé de l'Algérie ?

— Où vas-tu t'installer ? me demanda Papa, distraitement.

— Ben... euh... j'avais pensé... avec toi..., murmurai-je timidement.

Mon père sourit. Ma belle-mère éclata d'un rire de petite fille.

— Je crains que ce ne soit pas possible, avoua

81

mon géniteur. Je suis en train de réunir un régiment pour aller me battre en Indochine... Et Pauline (sa femme s'appelait ainsi et avait – a toujours... sept ans de plus que moi)... euh... Pauline, donc, attend un bébé depuis trois mois et retourne vivre chez ses parents à Versailles. J'espère que, cette fois-ci, ce sera un garçon.

(A ma joie – un peu moqueuse – Pauline accoucha d'une première fille qui prit naturellement le nom de Céphise, puis d'une autre... Papa se retrouva donc à la tête de TROIS filles (moi comprise) avant qu'apparaisse LE Garçon ! qui aura, lui, un jour, deux garçons !)

Le nom de Buron * fut donc sauvé ! A la joie immense de mon père !

— De toute façon, dit gentiment ma belle-mère, tu es invitée tous les samedis à déjeuner à Versailles.

Je la remerciai poliment... et égoïstement (grâce à cette invitation, je mangerais de la viande une fois par semaine !).

Mon père passa la journée à téléphoner à mes familles (maternelle et paternelle) pour trouver quelqu'un « qui serait responsable de moi ».

Puis il me fit un plan, en vrai chef de guerre.

D'abord : aller finir mes vacances chez une tante Buron à Saint-Gaudens.

Ensuite : prendre le train (les troisièmes classes existaient encore, Dieu merci !) pour Paris, où ma chère Grand-mère m'attendait, à son tour, entourée de ses religieuses (qu'aurions-nous fait sans elles ?),

---

* On appelle « buron » en Auvergne les maisonnettes en pierre dans les montagnes où les bergers fabriquent leurs fromages.

faubourg Saint-Honoré. Elle avait prêté son grand appartement du quai d'Orsay à deux de mes cousins germains (toujours famille maternelle) et, maintenant, à moi.

Appartement pas chauffé, bien sûr, glacial même !

Dans une première petite pièce dormait Christian, le fils de Tante Paule, qui, revenu du front et de Saumur, travaillait dans une banque, à Paris cette fois. Il cachait des bonbons sous ses chaussettes (achetés – les bonbons – avec des cartes de rationnement qu'il fallait que je me procure d'urgence). En attendant, nous allions les voler (les bonbons de mon cousin), ma cousine Aliénor et moi. Il ne le remarqua jamais : en tout cas, il ne nous dit rien. Il était très doux et bien élevé.

Dans l'autre pièce à côté (l'ancien petit salon de Grand-mère), ma cousine Aliénor avait installé un lit pour elle. Elle avait, elle, dix ans de plus que moi et accepta, avec sa gentillesse et sa classe habituelles, d'« être responsable » de ma petite personne. J'étais enchantée : je l'aimais beaucoup. Elle poussa un deuxième lit pour moi au bout du sien.

Ensuite, Papa écrivit à Maman que j'étais bien arrivée en France, et qu'il s'était occupé de moi. Puis avait passé la consigne à Aliénor de V.

Et hop ! il me mit dans le train pour Saint-Gaudens.

Quand j'arrivai chez ma tante Suzon de Buron, j'y trouvai son mari, mon oncle Marcel de Buron, ancien diplomate en Roumanie (je crois), grand blessé de la guerre de 14 (gazé deux fois, une jambe coupée lui aussi), mais... ivrogne. Ma tante passait son temps à cacher les bouteilles de vin, à allonger d'eau les carafes à table, et à accueillir la nuit son époux que les paysans ramenaient ivre mort, étendu sur une charrette.

Dieu merci, il y avait aussi un de mes jeunes cousins par alliance : Amaury, qui avait deux ou trois ans de plus que moi. Très beau et très charmant. Je tombai immédiatement amoureuse folle de lui... et lui de moi !

Il me donna mon premier baiser (dans le grenier).

Ce fut merveilleux.

Malheureusement, Tante Suzon surgit avant la fin de notre étreinte et menaça de nous jeter dehors. Elle le fit vraiment quand elle nous trouva une deuxième fois éperdument enlacés, les yeux dans les yeux. Amaury m'emmena alors dans la magnifique villa de ses grands-parents, à moitié détruite par les Allemands qui en avaient fait leur dépôt d'armes. C'est ainsi que j'appris à tirer à la mitrailleuse lourde, au fusil de guerre, au gros revolver allemand Mauser. J'adorais ! Mais, hélas, je dus repartir pour Paris où Aliénor, à son tour, m'attendait affectueusement.

Vite ! Vite ! je m'inscrivis au lycée Molière, en classe de philo. Je n'avais pas les sous pour payer l'école privée très chic rue de Lübeck où toutes les filles de ma famille (maternelle) avaient fait leurs études.

Malheureusement, à Molière, je n'eus pas comme professeur Simone de Beauvoir qui y enseignait également la philo dans la classe à côté. Je le regrettais mais remarquai que j'étais la seule élève au lycée passionnée par Freud, ce qui me laissait beaucoup de temps pour discuter avec ma prof, alors que les autres filles bâillaient. Je décidai d'enseigner à mon tour au lieu d'être comédienne. Le problème était que j'avais envie de tout faire dans la vie. Je continue.

Je recevais régulièrement des lettres de mon amoureux à qui je répondais immédiatement.

Nous commençâmes même à parler mariage. La rumeur en vint aux oreilles des parents d'Amaury. Qui poussèrent les hauts cris. D'abord, nous étions beaucoup trop jeunes pour prendre une pareille décision (vrai !). Ensuite et surtout, je portais peut-être une particule, mais je n'avais pas un sou, ni aucune « espérance * ».

En plus, on disait que ma mère était folle...

Arriva Noël.

— Où vas-tu passer tes vacances ? me demanda Aliénor qui s'était engagée dans les AFAT **.

— Je ne sais pas.

Je n'étais invitée nulle part.

— Bon ! Moi, je vais chez ma sœur Lili en Rhénanie. Son mari y commande je ne sais quelle « place » allemande. Tu veux venir avec moi ?

— Oh oui ! Mais je ne suis pas AFAT !

— Je vais arranger cela ! s'exclama ma cousine qui n'avait peur de rien.

Elle me fit fabriquer par des copains de faux papiers militaires, avec une fausse permission, défit

---

* Héritage éventuel.

** Jeunes Françaises engagées volontairement dans l'armée pendant la guerre (Auxiliaires Féminines de l'Armée de Terre).

85

mes maigres nattes, me construisit un gros chignon. Emprunta son uniforme d'AFAT à une amie de ma taille. Me maquilla les lèvres. Je n'avais plus seize ans et demi, mais vingt et un ans.

Et m'emmena à la gare où nous montâmes dans un train militaire, bourré de soldats et d'officiers qui rentraient de permission et repartaient en Allemagne. Plus une place ! Nous nous couchâmes par terre dans le couloir où nous ne pûmes dormir, dérangées sans cesse par les allées et venues des gros souliers de l'armée française.

Tout se passa bien malgré tout. Nos papiers (permissions comprises) ne furent même pas contrôlés. Je ne me doutais pas que cela allait me poser des problèmes.

A *Molsheim*, ma cousine Lili et une jeep avec chauffeur nous attendaient.

Je passai quinze jours délicieux dans une grande maison allemande, chauffée par un énorme poêle en faïence blanche et où je dévorais à ma faim. Le beau-frère de Lili, Bernard, qui était là aussi, me fit vaguement la cour, ce qui me fit plaisir, mais je ne cessais de penser à Amaury, mon grand amour.

Un jour, hélas, il me fallut bien envisager de rentrer à Paris, et surtout, au lycée. Un problème apparut. Aliénor désirait rester un peu plus longtemps chez sa sœur.

— Tu te débrouilleras bien pour rentrer toute seule, remarqua-t-elle tranquillement. Simplement, habille-toi en écolière et pas en AFAT.

Je remis mon uniforme de pensionnaire de Sainte-Jeanne-d'Arc (je n'avais pas assez d'argent pour m'acheter d'autres vêtements), rangeais mon cartable dans ma valise avec les devoirs de vacances soigneusement remplis, et renattai mes tresses enfantines.

La jeep me conduisit à la gare où je montai dans le train de Paris avec le numéro de téléphone du mari de ma cousine Lili, que je pourrais appeler en cas de pépin.

Aliénor avait déchiré mes faux papiers, y compris ma fausse permission.

Tout alla bien jusqu'à la frontière.

Là, le train s'arrêta et des « douaniers militaires » montèrent pour inspection.

Quand ils arrivèrent à moi, ils regardèrent longuement mon passeport dans tous les sens.

— Où est votre tampon d'entrée en Allemagne ? finirent-ils par me demander.

— Je ne sais pas..., répondis-je avec l'air le plus innocent possible. Il doit être par là...

Et je montrai les pages de mon passeport d'un geste vague. J'étais un peu inquiète. Le mensonge était considéré comme une lâcheté par mon père et puni d'une fessée à la cravache.

Les douaniers se plongèrent à nouveau dans l'examen minutieux de mon passeport en se grattant la tête.

— C'est un officier qui me l'a donné (je mentais sans mentir !).

— Mais quel âge avez-vous ?

— Je vais avoir dix-sept ans la semaine prochaine, et je suis en classe au lycée Molière, à Paris. Je dois passer mon bac philo en juin. C'est pour cela que je rentre si tôt à Paris. Je montrai mon cartable et étalai mes devoirs de vacances.

J'évoquai aussi mon cousin, commandant de la

place de *Molsheim* (j'avais même son numéro de téléphone), etc.

— Eh bien, on va l'appeler pour vérifier ! dit le plus grand des deux douaniers militaires.

Ils disparurent.

Le temps passa. Le train ne repartait pas.

Je commençais à être de plus en plus inquiète. Les soldats, dans les wagons, s'énervaient. Criaient. Gueulaient. Les « douaniers militaires » revinrent enfin avec un gradé (un lieutenant).

Qui me regarda avec surprise.

— Mais c'est une môme ! s'exclama-t-il.

— Je sais, dit le plus grand des soldats, têtu. N'empêche qu'elle a pas de tampon d'entrée en Allemagne ! Elle dit qu'elle était chez son cousin, le commandant de la place de *Molsheim*. Je l'ai appelé, le cousin. Parti en inspection pour la journée. Elle dit aussi, la petite, que son père est commandant en Indochine mais j'ai pas osé téléphoner à Saigon ! Mais si vous êtes d'accord, je la laisse passer, la môme.

Le lieutenant recula devant l'idée d'être responsable d'une telle décision.

— Je vais chercher le capitaine.

Il disparut à son tour.

L'émeute grondait de plus en plus à bord du train.

Je commençais à me demander sérieusement si je n'allais pas finir en taule.

Le lieutenant revint alors avec le capitaine. Qui s'exclama à son tour :

— Vous me dérangez pour cette petite jeune fille ? Quoi ? Elle va encore en classe ? Mais, putain, laissez-la passer ! Et ne m'emmerdez plus avec ça !...

Le train repartit et je rentrai à Paris, enchantée d'avoir berné l'armée française.

Vingt ou trente ans plus tard, alors qu'il était déjà à la retraite, je racontai cette anecdote à mon colonel de père, pensant que cela l'amuserait. A ma grande stupeur, il piqua une grosse colère :

— J'ignorais que tu étais folle à ce point-là ! J'étais responsable de toi ! Tu aurais pu casser ma carrière ! Parfaitement ! Ou me faire condamner à six mois d'arrêts de rigueur !

Il ne se douta pas une seconde qu'à l'époque où se passait cette grosse affaire, je m'en fichais royalement d'avoir un père aux arrêts de rigueur pendant six mois ! Il y avait plus grave dans mon existence.

J'avais trouvé, en rentrant à Paris, une lettre d'Amaury m'avertissant le plus affectueusement possible qu'il était tombé amoureux d'une très jolie et charmante fille qui savait faire la cuisine, elle (ce qui n'était pas mon cas !).

Qu'il lui avait fait un enfant et que... heu... et que... ben... ses parents tenaient à ce qu'il l'épouse (bien qu'elle n'ait pas, elle non plus, un sou).

Après le premier baiser, le premier chagrin d'amour.

Je pleurai toutes les nuits pendant un mois.

— C'est la vie ! m'expliqua ma très chère Aliénor que mes reniflements empêchaient de dormir. Tu en verras d'autres, ma pauvre chérie ! En attendant, travaille et passe ton bac.

Je décidai de suivre ses conseils.

Mais avant, je coupai mes nattes qu'Amaury aimait tant, et je les lui envoyai dans une belle boîte dorée avec : « Adieu ! Et sois heureux ! »

Et je me présentai à mon bac philo et l'obtins avec mention (enfin, je crois). Grâce à une chance incroyable. Car autant j'aimais la philo, le français et l'histoire, etc., autant je détestais l'algèbre.

Je n'avais pas une seule fois ouvert mon livre dans l'année.

Je l'avouai à l'examinateur qui me fit passer l'oral. Il me mit cependant une note d'un demi-point pour que je puisse éventuellement passer mon examen si j'étais bonne dans les autres matières.

Je le fus, en particulier en histoire où un vieux prof à barbe blanche m'interrogea sur les Dravidiens. Or, tous les samedis j'allais déjeuner chez Pauline, ma jeune belle-mère (qui avait à cœur de me préparer un bon tournedos – ce dont je lui suis toujours restée reconnaissante). Après quoi, je filais à la bibliothèque de Versailles où je lisais tout l'après-midi.

Quelques semaines auparavant, j'avais dévoré un livre sur l'Inde avec un chapitre très intéressant sur, justement, les Dravidiens (populations noires de l'Asie, en particulier du sud de l'Inde). Je débitai ma lecture à la surprise générale des copines du lycée Molière qui m'entouraient (et du vieux prof). Celui-ci eut un large sourire et me mit 20 sur 20. Olé !

— Comment savez-vous tout cela ? me demanda-t-il, visiblement stupéfait.

Ce jour-là, j'étais d'humeur franche (enfin, presque) :

— La chance ! dis-je, essoufflée par mon long discours. J'ai lu il y a trois semaines à la bibliothèque de Versailles un livre très intéressant sur le sujet.

— Vous le connaissiez ? me demanda cinq minutes plus tard une enseignante du lycée Molière qui avait, au passage, écouté mon exposé.

— Qui ?

— Le vieux prof qui vous a donné 20 sur 20 en histoire. C'est lui l'auteur du bouquin dont vous avez parlé !

— Non ! Je ne le savais pas du tout ! Mais j'avais fait une petite prière avant, pour que le bon Dieu m'aide à rattraper mon algèbre.

— Hé bé ! dit la prof, je vais peut-être finir par me convertir !

Puisque j'étais dans une période de « chance », je décidai de visiter la Scandinavie en stop pendant les grandes vacances.

Je pris aussi une autre décision qui me trottait dans la tête depuis des années.

Ma mère refusait qu'on m'appelle Nicole – elle trouvait ce prénom très « concierge * ». Elle m'avait nommée « Victoire ».

Moi, je n'aimais pas Victoire – que je trouvais

---

* Ce qui ne m'empêchait pas d'avoir toujours adoré mes concierges à Paris. L'avant-dernière me considérait comme sa fille. La dernière, une Martiniquaise, s'appelle Florence et m'invite souvent à déjeuner dans sa loge le dimanche, avec son mari (également martiniquais, professeur retraité d'histoire). J'ai droit au punch et au poulet colombo (délicieux !). Et à des discussions acharnées sur la Grande Mademoiselle qui avait eu un Buron comme apothicaire... paraît-il.

prétentieux. Je décidai que, dorénavant, ce serait
« Victoria ».

A cause de la reine ! Victoria Ire, reine d'Angleterre
et d'Irlande, impératrice des Indes, dite la « grand-
mère de l'Europe ». Ça, ça a de la classe, non ?

9

Voyage en stop

Bien sûr, je ne m'étais jamais baladée en stop.

Je n'avais même pas songé à le faire.

Ce fut une camarade du lycée Molière, Jacqueline, qui me persuada.

Et il n'y avait personne autour de moi pour me l'interdire.

Ma chère Aliénor venait de se marier et était partie, je ne sais où, en voyage de noces (elle avait bien essayé de m'emmener, ainsi que ses copines adorées dont elle ne pouvait que difficilement se passer ! Mais son mari tout neuf (un marquis !) avait carrément refusé de traîner avec sa chérie notre petit troupeau babilleur).

Mon père se battait en Indochine.

Ma mère avait quitté le Maroc et son Gorille, était rentrée en France avec son marin. Vivait dans le fond d'un appartement, boulevard Pereire, sur son lit qu'elle ne quittait jamais. Sous prétexte qu'elle avait mal au ventre. Un jeune infirmier envoyé par un psy passait tous les jours lui faire une piqûre, et lui expliquer que la douleur était dans sa tête et pas sous son nombril.

Pauline attendait son troisième ou quatrième enfant. Je ne lui dis rien de mon projet de voyage pour ne pas l'inquiéter.

La mère de Jacqueline était d'accord, elle, à deux conditions :

1. Que nous ne soyons pas habillées en hippies mais avec nos vêtements les plus élégants : un tailleur, des gants blancs, des bas, des chaussures à (petits) talons. Surtout pas de sac au dos, mais une petite valise à la main *.

2. Que nous promettions de ne pas monter dans une voiture française conduite par un Français. Elle venait de lire un article dans un journal assurant que nos compatriotes possédant actuellement une voiture étaient tous des maquereaux qui enlevaient des jeunes filles pour les enfermer dans des bordels sénégalais. Frissonnant d'horreur, nous promîmes. Du coup, elle nous donna un peu d'argent.

Nous montâmes dans un train prétendument direct et rapide pour Copenhague. Nous voulions voir la Petite Sirène sur son rocher, princesse de nos rêves d'enfants. Nous ignorions qu'il n'y avait plus un seul pont sur le Rhin. Tous bombardés. Nous dûmes attendre des heures qu'une péniche vienne nous chercher et nous fasse traverser le fleuve. Un

---

* Si j'ai déjà raconté cette petite histoire dans un autre livre, pardon, encore une fois, mes chères lectrices et mes chers lecteurs.

deuxième train nous attendait de l'autre côté. Mais pas le chef du train, parti se promener.

Le voyage prit vingt-quatre heures.

Sans aucune nourriture.

Quand nous arrivâmes – très tard – en vue de la Petite Sirène, j'eus une des grandes surprises de ma vie.

Assis par terre devant son rocher (de la petite sirène), les bras croisés, se trouvait Renaud, un jeune homme maigre et blanchinet.

— Merde ! m'exclamai-je.

— Tu le connais ? murmura Jacqueline.

— Oui ! Nous nous sommes disputé un livre chez un bouquiniste sur les quais de la Seine, et depuis il me suit partout. Prétend qu'il est amoureux de moi. Et tu as vu la gueule qu'il a ?

— Ouais ! Mais peut-être qu'il parle le danois et qu'il va nous emmener dans une boîte de nuit, remarqua Jacqueline qui adorait les boîtes de nuit.

— Tu sais bien que j'ai fait le vœu de ne pas mettre le pied dans une boîte de nuit avant d'avoir un vrai boulot...

Le petit Renaud nous emmena plus prosaïquement dans une auberge de jeunesse dont j'ignorais jusque-là l'existence. C'était accueillant. Gai. Propre. Pas cher. Bref, formidable.

Mais, à 5 heures le lendemain matin, je réveillai doucement Jacqueline.

— Habille-toi, on part ! chuchotai-je.

— A cette heure-ci ? Tu es dingue !

— Je ne veux pas traîner l'affreux petit Renaud

avec nous jusqu'au pôle Nord. On va au port et on s'installe sur le bateau pour Oslo.

Les marins norvégiens, réveillés par nos appels, râlèrent un peu, mais ma copine de lycée avait un truc formidable : pleurer à volonté. Elle éclata en sanglots. Affolés, les marins norvégiens qui ont le cœur tendre nous installèrent sur le pont dans des sacs de couchage, nous prêtant aussi leurs couvertures.

Le voyage le long des fjords norvégiens fut d'une beauté incroyable. Seul petit inconvénient : à cette époque de l'année il n'y avait pratiquement pas de nuit. D'où sommeil difficile. Mais j'étais encore toute jeune et dormais alors sans somnifères.

Autre bonheur : Renaud ne nous retrouva jamais.

Nous débarquâmes au port d'Oslo au milieu d'une foule de bateaux de pêche bourrés de poissons et surtout de grosses crevettes roses (après cuisson).

Sur la berge, les femmes des pêcheurs les faisaient cuire dans des chaudrons emplis d'eau de mer bouillante où elles ajoutaient du poivre et des herbes.

Nous nous gavâmes pour quelques couronnes norvégiennes.

Puis discussion : allions-nous maintenant grimper au pôle Nord ou traverser la Norvège, direction la mer Baltique, pour, ensuite, piquer vers Stockholm (Suède) ?

Nous choisîmes la deuxième solution.

Heures passées (dans diverses voitures) à parcourir de magnifiques forêts, silencieuses et sans fin, parsemées de lacs. Au-dessus de nos têtes des groupes d'oies sauvages volaient en V vers le sud.

Bref, c'était merveilleux. Jusqu'à ce que...

Jusqu'à ce que le conducteur de la voiture (nous n'avions regardé ni l'un ni l'autre, fascinées par le paysage) essayât de caresser les seins de Jacqueline assise à côté de lui sur le siège du passager. Elle poussa un grand cri.

— Au secours ! Victoria !

C'était la première fois que nous avions des problèmes avec un mâle nordique.

Assise derrière, sur la banquette, j'attrapai à pleines mains les cheveux du salaud et lui tirai la tête en arrière.

La voiture zigzagua.

S'arrêta juste au bord d'un lac ! (Notre-Dame de Buron nous avait sauvées de la noyade. Merci ! Merci !)

Le Norvégien nous fit sortir prestement de son véhicule en nous insultant, et redémarra.

— Chien ! hurlâmes-nous.

Nous étions seules toutes les deux, perdues en plein bois. (Nous ne savions pas si nous étions encore en Norvège ou déjà entrées en Suède.) Assises sur nos petites valises, échangeant des remarques les plus acerbes possible sur les conducteurs scandinaves. Nous attendîmes une autre voiture.

Aucune ne passa.

Une heure s'écoula.

Le ciel commença à s'assombrir.

— Qu'est-ce qu'on fait ? me demanda Jacqueline plaintivement.

A cette époque, j'avais une mémoire d'enfer.

— Il me semble me rappeler que ce salopard a quitté la grande route une demi-heure avant de t'attaquer sur ce petit chemin où il ne passe personne. Retournons vers l'autoroute.

Au bout d'un quart d'heure de marche à pied, balançant nos petites valises, miracle ! Une vieille ferme que nous n'avions pas vue apparut sur notre droite.

— On va leur demander l'hospitalité, dis-je à Jacqueline.

— Tu es malade ! Ils vont nous flanquer dehors...

— Pourquoi ? Cela fait quinze jours qu'on se balade en Scandinavie, et c'est la première fois qu'on a un pépin. Aide-moi plutôt.

Nous soulevâmes à grand-peine la très lourde barrière en bois qui « fermait » le champ devant la ferme, dont la porte s'ouvrit. Un homme en sortit avec un fusil.

— Il va nous tuer ! cria ma copine.

— Mais non !

Je hurlai :

— *Vi er Franske* * !

L'homme répondit :

— *Ja ! Ja !*

Et rangea son arme.

Jacqueline n'en revenait pas.

— Tu sais le norvégien ou le suédois, maintenant ?

— Ça va pas ? J'ai lu cela sur une affiche dans une auberge de jeunesse...

_____

* « Nous sommes françaises », en suédois.

Apparut derrière son mari la fermière suédoise/norvégienne.

Je lui fis un large sourire, penchai la tête sur mes mains posées à plat sur mon épaule gauche et respirai violemment, les yeux fermés. Jacqueline m'imita. La fermière comprit parfaitement que nous avions sommeil.

— Ja ! Ja !

Et elle nous fit signe de la suivre après une brève explication avec son mari qui éclata de rire.

Le gentil couple nous conduisit à une immense échelle qui menait au grenier à foin où ils tapotèrent deux paillasses.

— Zut ! je ne sais pas comment on dit « merci » dans leur langue, râlai-je. Tant pis !

Et j'embrassai la fermière sur les deux joues.

Elle rougit et parut très contente.

Nous dormîmes merveilleusement bien dans une délicieuse odeur de foin.

Le lendemain matin, deux petits enfants portant chacun un bol de café au lait et une grosse tartine au miel, suivis de leur mère, nous réveillèrent. Seul petit ennui : nous avions plein de brindilles hérissées dans nos cheveux. Mais la fermière avait tout prévu. Elle tenait à la main une grosse brosse à chevaux et « étrilla » nos têtes.

Pour remercier, nous donnâmes aux enfants nos dernières tablettes de chocolat. Ils poussèrent des cris de bonheur et les croquèrent sans plus attendre.

Une camionnette entra dans la cour, bourrée de gros pains de campagne et de sacs de blé. Le fermier expliqua la raison de notre présence au jeune conducteur (très beau, très grand, très souriant et...

99

boulanger), qui hocha la tête et nous fit comprendre par gestes et quelques mots d'un jargon curieux qu'il pouvait nous emmener dans son véhicule jusqu'à Stockholm ! Waouh !

Mais comment le remercier ? Nous n'avions plus de chocolat !

Jacqueline fouilla dans son grand sac et en sortit une écharpe tricolore (nous en avions acheté un stock au Prisu pour les agiter sur le bord de la route et faire ainsi connaître aux conducteurs qui passeraient la nationalité dont nous étions très fières toutes les deux).

J'entourai le cou de Gustav (c'était le nom de notre jeune et charmant Suédois), qui parut ravi de porter le drapeau français. Je découvris alors qu'il parlait anglais – à peu près aussi mal que moi –, mais cela ne nous empêcha pas d'entamer un petit bavardage.

C'est alors que nous entrâmes – toujours en camionnette – dans une grande cour où couraient des employés portant de grands tabliers gris et des piles de pains qu'ils chargeaient dans d'autres camionnettes.

Nous finîmes par comprendre, tant bien que mal, que Gustav était le fils d'un grand boulanger de Stockholm, et qu'il livrait les pains de son papa à tous les fermiers autour de la capitale. Lesquels fermiers lui vendaient, en retour, leur récolte de blé (ou le contraire).

Gustav eut un coup de foudre... pour moi !

Pourtant, ce n'était pas les jolies filles qui manquaient en Suède !

Moi, je n'oubliais pas (je n'oublierai jamais) que ma mère et mon père m'avaient dit, chacun de leur côté, que je n'étais pas... heu... très belle. Gustav me demanda pourtant en mariage*.

Epouser un beau et riche boulanger suédois, n'était-ce pas une bonne solution ?

Je lui fis comprendre que je devais d'abord réfléchir, et apprendre le suédois.

Il approuva et m'appela tendrement *lilla gröda*. (Je sus plus tard par le conseiller culturel suédois à Paris qui resta tout surpris au téléphone que cela voulait dire : « petite grenouille ».)

Bon.

Nous passâmes, Jacqueline et moi, quelques jours chez les parents de Gustav qui nous fit visiter Stockholm et m'acheta une grammaire franco-suédoise.

Puis nous reprîmes la route pour Göteborg (cette fois sans problème), où un bateau pour Rotterdam nous attendait, car Jacqueline voulait visiter le célèbre musée Boymans.

Au moment du départ, Gustav me serra très fort dans ses bras et me murmura : « Moi, jamais t'oublier... Toi, ma femme ! »

Je partis, très émue.

Mais un peu inquiète de la réaction de mes parents. Aurais-je le droit de figurer dans les généalogies familiales en tant que boulangère suédoise ?

---

* Je dis cela pour les petites jeunes filles un peu rondelettes, comme moi, avec des cheveux maigres et des dents en avant qui craignent de ne pas séduire les hommes... (Je reçus dans ma vie onze demandes en mariage !)

A Rotterdam, après avoir laissé nos valises dans un petit hôtel près de la gare et retenu une chambre pour deux, nous passâmes la journée à chercher ce fameux musée Boymans que nous ne trouvâmes jamais (pourtant il existe dans le dictionnaire). Nous finîmes par abandonner notre chasse pour nous asseoir sur un banc et admirer les sourires derrière leurs vitrines des célèbres « dames » hollandaises. Puis, après avoir avalé nos sandwichs du dîner (je n'ai jamais mangé autant de sandwichs de toute ma vie), nous allâmes – je ne sais vraiment pas pourquoi – nous promener sur le port (désert)

Il faisait nuit. Nous croisâmes deux matelots qui nous trouvèrent à leur goût. L'un d'eux se précipita sur moi. Il ne savait pas, le malheureux, que j'étais une Buron douée d'un caractère batailleur, et que je portais au poignet droit, en guise de bracelet, une bande de mitrailleuse fermée par une balle (un souvenir d'Amaury).

Je lui flanquai (au matelot, pas à Amaury) un coup de poing sous le menton que les pointes de la bande de mitrailleuse déchirèrent. Le sang jaillit. Le marin hurla de douleur.

— Viens ! criai-je à Jacqueline. On fout le camp !

Et nous partîmes en courant nous réfugier dans le petit hôtel où nous avions laissé nos bagages.

Dieu merci, la porte était ouverte et l'entrée déserte. Nous grimpâmes à toute vitesse un escalier branlant, faillîmes renverser une putain qui le descendait tranquillement, boulot terminé. Et nous enfermâmes à clé dans notre piaule.

— Dis donc, on est dans un hôtel de passe, remar-

102

qua Jacqueline, essoufflée. On risque d'être violées cette nuit.

— T'as raison. Aide-moi.

Et toutes deux nous poussâmes (difficilement) une grande et grosse armoire hollandaise devant la porte.

Ouf !

Vers 2 ou 3 heures du matin, quelqu'un essaya d'ouvrir notre porte, qui grinça mais résista ainsi que l'armoire.

L'inconnu, furieux, secoua la bobinette et donna un grand coup de pied dans un battant. Rien à faire.

Puis nous l'entendîmes descendre l'escalier en grommelant.

— Faut s'en aller d'ici, dit Jacqueline.

— D'accord, mais où ? On n'a presque plus d'argent...

Nous nous habillâmes, attrapâmes nos valises, et descendîmes, chaussures à la main, l'escalier branlant.

Il n'y avait personne dans l'entrée excepté le concierge qui ronflait à mort, étalé comme un vieux crapaud sur une banquette pas très propre. Nous sortîmes... sans le réveiller... et surtout sans payer.

Nous prîmes au galop la première rue à droite.

Au fond, une petite église, où nous entrâmes.

Un curé en soutane s'agitait dans le chœur.

— Excusez-moi de vous déranger, mon père, dis-je d'une voix larmoyante, mais ne sauriez-vous pas où se trouve... heu... l'Armée du Salut ?

— Pourquoi ? Vous êtes protestante ? me demandat-il, un peu hargneux. (Il parlait français !)

Je mentis hardiment à la soutane.

103

— Oui.

— Ah bon ! Tiens ! L'Armée du Salut se trouve à l'autre bout de la ville... Je vais vous écrire l'adresse. Mais, la prochaine fois, ne mentez pas... J'ai bien vu que vous portiez au cou une médaille de la Sainte Vierge, ce n'est pas très protestant... Du reste, remarqua-t-il amèrement, il n'y a pas de catholiques par ici.

— Pardon, monsieur le curé. Mais c'est une statue miraculeuse en Auvergne, Notre-Dame de Buron, dont ma famille porte le nom. Et puis j'ai été élevée cinq ans dans un pensionnat où les religieuses (catholiques) étaient très contre le stop.

— Moi aussi, je suis contre le stop, répondit le prêtre. Il vaut mieux pour des petites jeunes filles comme vous aller à l'hôtel.

— Je vous demande pardon, mais c'est cette nuit, justement, que, dans une petite auberge en face du port, nous avons failli être violées !

Le curé soupira et me tendit une carte où était inscrite l'adresse de l'Armée du salut.

Mais ne nous offrit pas de petit déjeuner.

Nous marchâmes deux heures, toujours traînant nos petites valises.

Quand nous sonnâmes à l'Armée du Salut, nous étions au bord de l'évanouissement. Une dame en bleu marine ouvrit la porte, nous regarda longuement dans un silence angoissant, puis nous fit entrer, toujours sans un mot, dans un petit salon.

Elle prononça une phrase en néerlandais que, naturellement, nous ne comprîmes pas... Sortit... Nous nous affalâmes dans de grands fauteuils.

104

Etait-elle partie téléphoner à la police ? Ah ! Dormir ! Dormir... même en prison !

Dix minutes plus tard, la porte se rouvrit.

La dame de l'Armée du Salut rentra, portant un énorme plateau avec du thé, du pain, du beurre, de la confiture, des brioches, du jus d'orange, et même de la soupe ! Bref, un copieux petit déjeuner.

Au bout d'une heure, il ne restait plus une miette. Nous attendîmes en silence le retour de la fée.

Cette fois, ce fut une dame parlant français qui entra et que nous remerciâmes chaleureusement et à qui nous racontâmes nos mésaventures. Elle hocha la tête en souriant et en montrant autour d'elle :

— Ici, vous êtes les bienvenues !

Nous restâmes trois jours dans ce paradis, choyées, nourries, dormant dans des lits confortables avec des draps bien propres.

Aussi, tous les ans, quand revient Noël et que des dames en costume de l'Armée du Salut s'installent en haut des Champs-Elysées, sonnant une cloche pour prévenir les passants que c'est le moment de penser aux pauvres, je me précipite pour jeter dans leur chaudron de cuivre tout l'argent que j'ai dans mon sac.

10

Un premier petit boulot

De retour à Paris, je ne trouvai personne. Ni Aliénor, toujours en voyage de noces (?!), ni même Grand-mère, transportée en voiture au château de Villeserres par mes oncle et tante. Ni Pauline, installée (où ?) en Normandie avec je ne savais plus combien d'enfants...

Et je n'avais pas un sou...

Mais très, très faim.

Je fouillai une fois encore dans les chaussettes de mon cousin Christian et ne trouvai même pas un de ses chers bonbons. Il avait tout mangé, le gredin ! Je finis par découvrir une pile de vieux journaux de la veille, abandonnés sur un banc au bois de Boulogne.

Dans l'un d'eux, je lus ce que je cherchais.

Une petite annonce réclamant une jeune fille pour garder deux enfants jusqu'à la fin des vacances.

Je courus à l'adresse indiquée.

La place était encore libre. La dame me raconta son histoire : elle était juive, s'était cachée pendant la guerre chez des religieuses en Savoie, avec son mari – juif aussi – et sa fille aînée, qui avait maintenant onze, douze ans. Le couple, qui s'ennuyait fort, conçut une deuxième fillette. Pourrais-je m'occuper des deux petites créatures jusqu'à la fin des vacances ? Je serais bien payée. Surtout si je commençais dès le lendemain !

Formidable !

J'expliquai que j'avais été bien élevée et portais une particule (je remarquai plus tard que cette particule – qui ne me servait à rien, même pas à me marier – m'aidait énormément à trouver des petits boulots).

Mais il y avait un problème.

Ah bon ! Lequel ?

La fille aînée (brune et laide) haïssait sa petite sœur (blonde et adorable) et essayait de la tuer. Si ! Si !... Soit en l'étranglant, soit en la jetant dans l'escalier ou par la fenêtre. Je ne devais pas la quitter de l'œil une seule minute.

— Comptez sur moi ! assurai-je fermement. Mais à une condition !

— Laquelle ? demanda la dame juive brusquement méfiante.

— Déjeuner tout de suite avec vos deux filles pour voir si nous nous entendons bien.

— Bonne idée ! s'exclama la mère, j'ai justement préparé un plat yiddish polonais de chez moi.

Il était délicieux... et surtout calma ma faim.

Le premier mois se passa merveilleusement bien.

Je découvris l'affection familiale juive.

Tous les jours, à 4 heures de l'après-midi, la tribu entière (grands-parents, parents, oncles, tantes, cousins, neveux, etc.) arrivait de la rue des Rosiers où ils travaillaient – dans la fourrure, bien sûr – et s'asseyait autour d'un immense goûter.

Pain azyme frais, beurre à volonté (j'avais oublié le merveilleux goût du beurre) et plein de plats yiddish.

C'était mon repas de la journée.

En plus, ils étaient tous gais et papotaient joyeusement, malgré la mort de nombreux membres de la famille en camp de concentration. Ils chouchoutaient particulièrement Yentl, la dernière petite fille.

Les jours se déroulaient parfaitement jusqu'à celui où je dus aller d'une façon pressante... faire pipi.

Quand je revins dans la chambre des enfants, l'aînée avait ouvert la fenêtre et tentait de jeter la plus petite dans la cour. Je me précipitai, rattrapai Yentl qui hurlait, déculottai Hanka et lui filai une forte fessée. Elle se mit à crier à son tour.

La mère entra, affolée, haletante, la main sur le cœur.

Je lui racontai ce qui venait de se passer.

— Je ne comprends pas cette haine de Hanka pour sa petite sœur, gémit-elle.

— La jalousie, expliquai-je. Il faut dire que toute la famille adore Yentl et la couvre de compliments... heu... y compris ses parents. (Allons bon ! Je venais de faire une grosse gaffe !)

— Ça, c'est faux ! s'indigna-t-elle. J'aime mes deux filles autant l'une que l'autre.

Je ne répondis pas.

Silence pesant.

— Mais qu'est-ce qu'on peut faire ? reprit-elle.

— Amener Hanka voir un psy.

— Un quoi ?

— Un psychiatre. Un médecin qui soignera votre fille aînée et la guérira de sa souffrance.

— Mais je ne connais pas de... « psy » ! Et vous ?

— Oh, moi, oui ! Ma mère est soignée depuis des années.

Je trouvai ma mère toujours couchée dans son lit, qui se plaignit que je ne venais jamais la voir ni ne lui téléphonais, alors que toutes les filles de ses amies appelaient leurs mères tous les matins. J'écoutai en silence. Puis lui racontai mes problèmes avec mes deux petites Juives, ce qui l'intéressa beaucoup. Et lui changea les idées.

Le lendemain, j'apportai à ma patronne deux ou trois noms de professeurs en psychiatrie et lui conseillai de prendre un rendez-vous, d'abord toute seule, et le plus tôt possible. (Et de la part de ma mère...)

Le professeur Z. lui fixa une heure pour le lendemain après-midi.

J'étais un peu inquiète. J'avais pris une lourde responsabilité.

Ma patronne revint de sa consultation les yeux rougis par les larmes, la figure crispée, les lèvres pincées. Visiblement furieuse. Elle me dit d'une voix hystérique :

— Vous préparez votre compte et vous partez !

— Mais pourquoi ? Qu'est-ce qui s'est passé ?

— Je ne vous le dirai pas, mais je désire que vous foutiez le camp immédiatement !

Elle me paya et me montra la porte. J'étais RENVOYÉE !

Je sortis, mi-furieuse, mi-effondrée, croisant dans

l'entrée le fourreur qui avait toujours été très gentil avec moi.

— Que se passe-t-il ? demanda-t-il à sa femme.

— Je t'expliquerai... En attendant, je mets Mademoiselle *de Je-ne-sais-quoi* à la porte !

— Bon, bon ! dit le mari.

Il attrapa quelques billets dans sa poche qu'il glissa dans la mienne. J'étais trop fauchée pour les refuser avec hauteur.

Je n'ai jamais revu ma famille juive. Je n'ai jamais su ce qui s'était passé. Cela me tracasse parfois.

England ! England

Dès le lendemain, je me mis à la recherche d'un deuxième petit boulot. Je ne trouvai rien. Tous les enfants avaient déjà quitté Paris. Je n'osais pas me proposer comme femme de ménage : je ne savais que vaguement me servir d'un balai, très peu faire la cuisine et pas du tout repasser. J'étais déjà la première héritière dans mes deux familles à « **travailler pour gagner de l'argent. Cela ne se faisait pas** ». On me le fit comprendre.

C'est alors que Pauline me téléphona.

Ma chère jeune belle-mère m'avait trouvé un travail *au pair* dans un pensionnat religieux *High Church*, dans le Yorkshire, au nord de l'Angleterre. (Décidément, j'étais vouée aux bonnes sœurs.) J'y apprendrais l'anglais, j'y serais nourrie, et j'enseignerais l'art de la conversation française aux jeunes Britanniques. Je pouvais y partir tout de suite.

Je remerciai chaleureusement la femme de mon père qui devenait de plus en plus gentille (sans oser lui demander toutefois à combien d'enfants elle était).

Et sautai immédiatement dans le premier ferry Calais-Douvres.

Quand j'arrivai à Londres, je m'aperçus qu'aucun Britannique ne comprenait mon anglais, pourtant appris pendant des années en classe. Je me rappelai soudain que la religieuse, à Rabat, qui nous enseignait cette langue prétendue si facile était d'origine espagnole...

Je m'adressais donc aux autochtones avec un fort accent anglo-catalan... qui avait l'air de les terroriser !

J'errai, affolée, dans la gare, traînant ma lourde valise et quantité de petits sacs.

Soudain, ô bonheur, dans mon dos, une voix masculine m'interpella gaiement en « parisien » :

— Vous êtes perdue ?

— Oui, avouai-je tristement.

— Et où allez-vous ?

Je saisis un papier dans ma poche et ânonnai :

— Euh... je ne sais pas trop... à *Whitby*, dans le Yorkshire, c'est la ligne d'*Edinborough*, je crois.

Je me retournai et me trouvai face à un immense garçon très maigre, aux cheveux ébouriffés, et qui avait l'air de s'amuser franchement.

— Parfait. C'est juste en dessous de l'Ecosse. Et moi, je vais à Edinburgh – capitale de l'Ecosse... Pas Edinborough, mais Edinburgh ! On va faire le chemin ensemble. Epatant ! Suivez-moi !

J'obéis. J'avais une chance inouïe d'avoir trouvé ce Français qui, lui, parlait anglais. Je le félicitai.

— Oh ! m'expliqua-t-il d'un air faussement modeste, tous les étés, pendant les vacances, mes

112

parents engageaient une Miss qui se donnait un mal fou pour m'apprendre sa langue.

— Moi aussi, dis-je, un peu vexée, j'avais droit à une Anglaise, pendant le mois d'août, mais je la détestais, et je n'ai jamais retenu qu'une phrase : « *Victoria, it's nine o' clock. Time to go to bed* *. »

Le voyage en chemin de fer fut long mais agréable. Mon compagnon était très amusant et gentil. Nous nous aperçûmes même que nous avions des cousins communs. Du coup, il descendit dans une gare me chercher du thé dans un gobelet en carton et d'exquis petits biscuits que nous partageâmes...

... Et il me demanda mon adresse.

J'hésitai quelques secondes.

Que ce soit par mes grands-parents, ou par les religieuses du couvent Sainte-Jeanne-d'Arc, il m'avait été fortement recommandé de ne jamais donner mon nom et mon adresse à un inconnu.

Bah ! J'avais dix-sept ans ! Il était temps que j'apprenne à distinguer toute seule les garçons bien élevés des voyous.

Whitby était un petit port sur la mer du Nord, avec pluie presque incessante et surtout hurlements lancinants de corne de brume.

Alexandre – car il s'appelait modestement Alexandre – descendit ma lourde valise sur le quai, hocha la tête en faisant une grimace.

— Oh ! là là ! Vous n'allez pas vous amuser tous les jours ici !

---

* « Victoria, il est 9 heures. C'est l'heure d'aller au lit. »

— Je ne suis pas là pour m'amuser ! remarquai-je avec hauteur, mais pour apprendre l'anglais et...

Deux jeunes bonnes sœurs surgirent en uniforme.

— *Are you Victoria of Bouron ? A French girl we are waiting for.*

Je les regardai, un peu inquiète. Je n'avais rien compris à leur jargon.

— *Yes ! She is !* répondit Alexandre en me désignant comme une oie stupide.

Puis il s'inclina devant les deux religieuses, remonta dans le train et me fit un petit signe d'adieu par la fenêtre.

J'eus soudain un coup de cafard. Mais je me repris.

Allons, Buron ! un peu de courage !

Je n'avais jamais rencontré de religieuses aussi sportives. Elles attrapèrent mes bagages comme si c'étaient des ballons, m'entraînèrent vers une grosse 4 × 4, sautèrent dedans avec la légèreté de danseuses russes du Bolchoï et démarrèrent.

Je n'eus que le temps de m'accrocher à une barre de la banquette arrière.

Elles riaient comme des folles.

Par contre, l'immense pensionnat, en pleine lande, à quelques kilomètres de Whitby, était assez austère.

Je fus emmenée au pas de charge au deuxième étage, dans une petite pièce où il y avait deux lits... deux tables... deux chaises, etc.

J'avais visiblement une camarade de chambre.

Une Noire.

Elle me sauta au cou et m'embrassa joyeusement.

Puis elle m'expliqua à toute allure, dans un anglais parfait (enfin, il me le sembla), beaucoup de choses

114

auxquelles je ne compris rien, bien sûr. Je me contentai de pointer l'index vers ma poitrine en disant :

— Moi, VICTORIA ! *French... !*

— *Good !* s'exclama-t-elle. *I am* AGATHA. *You will be my queen* *.

Je passai trois mois merveilleux en sa compagnie.

Elle était adorable et essayait avec ardeur de m'apprendre les noms anglais de tout ce qui nous entourait. (Mais comme toutes les « Anglaises », elle parlait à une vitesse folle.) Elle corrigeait inlassablement mon accent français (mais je me demandais parfois si elle n'avait pas, elle, un accent africain qu'elle était en train de me filer...).

Elle voulait devenir religieuse et soigner les lépreux de son pays (j'ai oublié lequel). Je lui avouai qu'un jour, vers mes quinze ans, dans un élan spirituel, j'y avais songé également.

Mais notre principal et réciproque (mais très amical) reproche, c'était nos odeurs respectives. Agatha exhalait une senteur très forte qui envahissait complètement notre chambre. Pour la taquiner, je lui disais de temps en temps :

— *Agatha ! You stink* ** !

— *Victoria ! You stink too. You stink the dead head* *** !

Et on éclatait de rire en se pinçant le nez toutes les deux.

---

* Allusion à la reine Victoria d'Angleterre, dite la grand-mère de l'Europe.

** « Agatha ! Vous puez ! »

*** « Victoria ! Vous puez aussi ! Vous puez le cadavre ! »

De temps en temps, je remerciais le ciel de vivre avec ma chère et affectueuse Agatha car, j'ai un peu honte de l'avouer, je détestais les « petites Anglaises ».

Elles me regardaient avec morgue, ne m'adressaient jamais la parole, faisaient systématiquement semblant de ne pas me comprendre et si je leur demandais, à table, de me passer un morceau de pain, certaines me tendaient alors, en pouffant de rire, une carafe d'eau, le sel, des chips, etc.

Mais ce qui les exaspéra le plus contre moi, c'est de découvrir que je connaissais Shakespeare bien mieux qu'elles. Grâce à « Madame Mercédès », de Rabat, dont c'était la passion (elle avait dédaigné de nous apprendre les mots courants en anglais : gare, rue, pain, lettre, crayon, etc., mais je savais par cœur *Hamlet*, *Roméo et Juliette*, *Richard III*, *La Mégère apprivoisée*...).

Cependant, le pire, pour moi, était qu'elles n'avaient aucune envie d'apprendre le français. Elles bâillaient sous mon nez, chuchotaient entre elles, dessinaient vaguement sur des bouts de papier, regardaient les mouches et l'heure à leurs montres... Bref, mes « cours de conversation française » étaient un échec terrible.

Heureusement, les vacances de Noël approchaient – qui duraient un mois, comme chacun sait.

Agatha repartait en Afrique.

Je me réjouissais de revoir ma chère Aliénor, mes copines françaises, et peut-être aussi mon boulanger suédois qui m'avait annoncé sa venue. Egalement Alexandre qui, ô surprise, m'avait envoyé un petit

116

mot d'Ecosse où il semblait s'ennuyer (je n'ai jamais su ce qu'il y faisait).

Quinze jours avant mon départ pour Paris, la Mère supérieure me convoqua dans son bureau.

Je m'y rendis tranquillement, sans m'en faire... et reçus la plus belle engueulade de ma vie !

Je n'avais rien foutu pendant le trimestre ! Peut-être avais-je appris une vingtaine de mots anglais, et encore ! Quant à mes leçons de « conversation française », elles étaient nulles ! complètement nulles ! Les petites Anglaises s'étaient même plaintes de ma paresse. Parfaitement ! MA PA-RES-SE !...

Je faillis bondir d'indignation et révéler à la Supérieure que c'étaient ses élèves à elle, ces horribles « petites Anglaises », qui étaient des fainéantes, des flemmardes, des nonchalantes, des molles, des lambines... bref, des cancres dont on ne pouvait rien tirer.

Mais je ne dis rien.

Encore trop jeune pour polémiquer avec une « grande personne ».

C'est en vieillissant que l'on découvre le plaisir divin de dire froidement ce que l'on pense à n'importe qui (banquier, député, président de la République et même pape !).

— Bref, conclut la Supérieure, deux solutions : soit vous n'allez pas en vacances en France et vous restez ici à rattraper votre retard, soit vous partez, mais je ne vous reprends plus ! Votre réponse dans une heure.

Et vlan !

C'était la deuxième fois que l'on me flanquait à la porte.

J'allai marcher furieusement dans la lande. Les bonnes sœurs étaient-elles devenues injustes ? Ou y avait-il de ma faute, de ma très grande faute ?

Que faire ?

Si je rentrais en France, qui me nourrirait ?

Si je n'apprenais pas l'anglais, à quel boulot intéressant pourrais-je prétendre ? Je ne savais pas taper à la machine à écrire... je n'avais même pas assez d'argent pour en acheter une d'occasion aux puces. (Ah ! le rêve de posséder une Underwood, comme tous les grands écrivains américains...)

Me présenter comme femme de ménage (sans ma chevalière, naturellement), alors que j'étais incapable de balayer correctement sous un lit ou de cuire un œuf à la coque (malgré les sabliers que m'offrait Pauline à chacun de mes anniversaires. Soit l'œuf restait glaireux, soit le jaune bavait quand je trempais la mouillette de pain non beurré – pas de sous pour le beurre) ?

M'occuper d'enfants ? Et être renvoyée sur l'heure ? « Ah non ! » criai-je à voix haute sur la lande.

Je retournai voir la Mère supérieure.

— Si vous êtes d'accord, ma mère, dis-je d'une voix de miel, je serais heureuse de rester ici pendant les vacances. Et de rattraper mon retard.

— *Good.*

Je sortis, et me jurai de travailler dur, très dur, jusqu'à ma mort.

Aux armes, citoyenne !

Deux jours plus tard, alors qu'un profond silence régnait sur le pensionnat et que j'étais seule dans ma chambre, plongée dans un livre (en anglais, bien sûr)

118

de mon auteur préféré (Jerome K. Jerome), un cha-hut monstre explosa dans l'escalier.

Mugissements masculins. Cris. Hurlements sur tous les tons en british et dans des langues inconnues. Claquements de grosses chaussures sur les marches.

Qui nous attaquait ?

J'entrouvris ma porte.

Une tribu d'étudiants noirs, habillés style Oxford, grimpait l'escalier.

Certains portaient, outre leurs valises, des tambours et quantité d'instruments de musique inconnus.

Ils allèrent s'installer dans l'aile gauche du pensionnat (j'étais logée dans l'aile droite, et les religieuses au milieu).

Nous dînâmes tous ensemble. Certains parlaient un peu français. Je finis par comprendre que les religieuses anglicanes dirigeaient de leurs petites mains de fer des écoles en Afrique anglophone et que, lorsque leurs élèves atteignaient un certain niveau, ils venaient finir leurs études et passer leurs examens en Grande-Bretagne, avec vacances de Noël à Whitby. Pour des raisons financières, probablement...

Bien sûr, si je commençais à me débrouiller en anglais, je ne comprenais pas un mot de leur langage africain, d'autant plus qu'ils me semblaient utiliser des jargons différents... suivant les tribus ?

Après le dîner nous eûmes droit à la fête.

Chacun saisit son instrument de musique et se mit à jouer, et même à danser. De plus en plus fort. Avec de plus en plus d'enthousiasme.

J'étais ravie. J'adorais (j'adore toujours) les

rythmes africains. Mais là, c'était une première expérience.

Ils m'entraînèrent dans des sarabandes délirantes.

Certains s'éclipsèrent et revinrent quelques instants plus tard dans leur costume local (quelques-uns extrêmement petits...)

A 2 heures du matin, épuisée, j'allai me coucher.

Cela dura un mois.

Aucune religieuse, aucun habitant de Whitby, ne se plaignit du tapage. Je me demandai si tout le monde (y compris les bonnes sœurs) se tortillait le derrière, chacun chez soi...

Un grand type, du nom de Tim, me demanda même en mariage. Décidément ! Peut-être, en effet, n'étais-je pas jolie (je l'ai déjà dit et redit), mais je devais avoir une gueule de bonne épouse ! Je refusai en riant, lui faisant remarquer que j'étais trop jeune et que je ne savais pas piler le mil.

Quelques années plus tard, j'avais tenu mon serment de travailler dur, très dur ; j'œuvrais sur quatre boulots à la fois. Epuisée, je décidai de prendre huit jours de vacances dans un grand hôtel à l'île Maurice dont j'avais vu de très belles photos.

J'étais seule, je lisais, tout en déjeunant, un polar d'Ed McBain. Quand un colosse noir, assis à une petite table à quelques mètres de moi, tenta d'engager la conversation. Je grognai pour lui faire comprendre qu'il me foute la paix (j'adore Ed McBain).

— C'est parce que je suis noir que vous ne voulez pas me parler ? gueula-t-il.

120

— Non. Parce que vous m'emmerdez ! (*You do bother me !*)

Le gaillard se leva, fou de rage, jeta sa chaise par terre, qu'il cassa, et rentra dans l'hôtel en hurlant des horreurs sur les femmes blanches.

Les garçons qui avaient assisté à la scène se précipitèrent vers moi.

— Vous ne savez pas qui c'est ?

— Non.

— Amin Dada !

— Celui qui a fait manger sa belle-mère par des crocodiles ?

— Heu... oui !...

— Mais qu'est-ce qu'il fait là à embêter les clientes ?

— Il y a une réunion de chefs d'Etat africains.

Je décidai qu'à l'avenir je ferais semblant de ne comprendre que l'hindi.

Pour l'instant, j'étais à Whitby d'où, pouf ! un matin, tous les étudiants noirs avaient disparu.

La Supérieure me reconvoqua.

J'y retournai, cette fois pas tranquille du tout.

Pourtant j'avais travaillé tous les après-midi.

J'eus droit à des félicitations.

Même à un « changement de poste ».

A l'avenir, je ne donnerais plus de leçons de « conversation française » (chouette !), mais je m'occuperais complètement d'une douzaine de petits Anglais de cinq à dix ans dont les parents – en général, des diplomates (ou peut-être des espions ?...) – étaient dispersés dans le monde entier.

Je vivrais avec eux (les enfants) dans une

chaumière à quelques kilomètres du pensionnat, avec deux *sisters* (religieuses) qui, elles, prieraient une bonne partie de la journée et cuisineraient (ouf ! bravo !).

Je m'occuperais de tout le reste : le calcul, l'histoire anglaise (bien sûr), quelques notions de géographie, de dessin, promenades dans la lande, sports (ballon et cricket). Je déjeunerais et dînerais avec les enfants, dormirais avec eux également, aiderais les plus petits à s'habiller le matin et à réciter le « Notre Père » et le « Je vous salue, Marie » (même texte que dans l'Eglise catholique, mais en anglais, naturellement), etc.

Bref, je serais leur petite maman.

Et mes *children* (enfants) m'apprirent l'anglais. Parfaitement. Ils adoraient cela.

Chaque fois que je faisais une faute (et j'en faisais beaucoup), ils levaient tous la main (même ceux de cinq ans !) et criaient :

— Mâââââdemoiselle ! *You made a mistake * !*

Ils m'expliquaient pourquoi, comment, et ce qu'il fallait dire.

Me faisaient répéter, pour être sûrs que j'avais bien compris et que mon accent était correct.

Je les remerciais chaleureusement avec un grand sourire :

— *Thank you, kids ** !*

... Et recommençais mon cours.

Le plus dur, pour eux et pour moi (je n'ai jamais compris pourquoi), était de leur apprendre les

---

* « Vous avez fait une erreur ! »
** « Merci, les enfants ! »

vieilles comptines françaises que j'aimais tant, et à leur faire perdre leur accent (« Au clair de la lune », « En passant par la Lorraine », « Cadet Rousselle », etc.). Cela donnait :

> *Au clair de la lou-ou-oune,*
> *Mon ami Pierrrrôôôôt,*
> *Prête-moi ta plou-ou-oume,*
> *Pour écrire un môôôôt, etc.*

S'ils avaient été sages, je leur racontais le soir, au lit, un conte de fées. Et zou ! tout le monde dormait.

La Mère supérieure vint un jour faire une petite inspection. Et, ô surprise délicieuse, me félicita. Je me débrouillais, paraît-il, très bien. Je lui expliquai que j'avais passé cinq ans dans un pensionnat au Maroc.

Elle me dit alors que je travaillais beaucoup (oui : vingt-quatre heures sur vingt-quatre...), qu'elle ne pouvait pas me payer (je répondis que je ne demandais rien). Elle me proposa alors de me faire donner, « en échange », deux heures de cours (anglais, sténodactylo) pour moi toute seule, le soir après le dîner, par une de ses vieilles religieuses.

Le seul inconvénient résidait dans le fait que ma bonne sœur était écossaise. Et avait en conséquence un caractère duraille et un très fort accent (écossais). Je n'y vis aucun inconvénient et la remerciai, ravie.

Quand je rentrerais en France, je pourrais trouver un travail de sténodactylo français-écossais.

Yaaaououou !...

Autre chose me faisait plaisir. Il me semblait que la Mère supérieure et sa petite armée de bonnes sœurs m'aimaient bien, et même de plus en plus.

Ainsi, pour les vacances de Pâques, on m'envoya dans une famille de fermiers écossais.

Je retrouvai les travaux des champs.

Debout à 5 heures. Traire les vaches. Baratter le beurre à la main. Porter la pâtée aux cochons, les nourrir. Brosser les chevaux. Ramasser les œufs frais, etc.

Quel bonheur !

Il me semblait avoir retrouvé mon enfance.

Pas tout à fait cependant parce que à 18 heures tout le travail devait être terminé : c'était l'heure sacrée du *high tea* *.

Et mes fermiers écossais se transformaient en gentlemen-farmers. Douches. Costumes élégants. Kilts et, hop ! dans une très jolie voiture et, à toute vitesse, au théâtre d'Edinburgh. Parfaitement, au théâtre !

Bref, la vie de mes rêves.

La famille comportait un héritier, un grand gaillard costaud, avec un superbe kilt, qui me plaisaient beaucoup (le garçon et le kilt). Hélas, il était déjà amoureux d'une autre (le garçon, pas le kilt).

J'essayai de le séduire en participant à une course de natation : « un mile ** en crawl » (dans la mer du Nord. Par moins 5°). Je crus mourir de froid, mais je gagnai. Le salaud ne me regarda même pas.

---

* *High tea* : très grand goûter tardif qui remplace souvent le dîner.

** 1 mile anglais : 1 604 mètres.

Enfin, l'année scolaire se termina. J'avais un accent écossais épatant, je tapais à la machine à une vitesse foudroyante et pouvais noter en sténo n'importe quoi. En plus, je repartais pour Paris avec deux bonnes nouvelles :

1. La Mère supérieure m'avait trouvé un boulot à Londres comme secrétaire bilingue franco-anglaise, à la banque Coutts (la banque de la reine, si ! si !).

2. Et même une chambre à Londres prêtée par les parents d'une des *sisters*. Qui étaient charmants, paraît-il, et promirent de m'inviter régulièrement au Royal Opera House pour voir les ballets.

Finalement, ces Anglais étaient adorables comme tout... passé dix-huit ans !

12

Petits et grands boulots

Je débarquai à Paris dans l'appartement du quai d'Orsay.

J'eus un choc ! Mon cousin Christian s'était marié. Personne ne m'avait prévenue. Sa femme était déjà enceinte. Ils occupaient tout le devant de l'appartement, y compris ma chambre qui était aussi celle de ma chère cousine Aliénor.

Il ne restait pour moi qu'une petite lingerie, au fond d'un long couloir sombre (décidément, j'étais vouée aux petites lingeries !), avec une salle de bains... « où tu pourras faire ta cuisine », me dit ma nouvelle cousine avec un rire aigu et gêné. « Je vais te donner une casserole (chouette alors !)... Euh... tu comptes t'installer là longtemps ? »

— Non, j'attends simplement mon permis de travail anglais et je repars pour Londres à la banque Coutts, la banque de la reine, comme secrétaire franco-anglaise.

— Ah, bravo ! Parce que je vais te dire un secret, mais tu ne le répéteras à personne, hein ?

— Non ! Non ! Juré !

126

— Je veux avoir beaucoup d'enfants et j'aurai besoin de beaucoup de place...

— Bravo !... Bravo !

En attendant, j'achetai avec les quelques sous que ma grand-mère m'avait donnés à mon arrivée – et la petite pension que Papa continuait à me verser, mais qui maigrissait au fur et à mesure que ma belle-mère mettait au monde des bébés et que moi, je grandissais – un petit réchaud (électrique) que j'installai dans le bidet.

Les jours passèrent.

Mon permis n'arrivait pas.

Je me nourrissais de riz et de nouilles.

Pauline était toujours en Normandie avec son FILS et QUATRE filles (soit un total, pour mon père, de cinq filles – si on me comptait – plus un garçon !).

Enfin, un jour, un large document administratif arriva de Londres. Ah, mon permis !

J'étais si contente que je déchiquetai avec excitation la grande enveloppe.

J'avais tort. La réponse était : NON !

D'abord je n'en crus pas mes yeux. Comment les Anglais osaient-ils refuser ma présence ?

Inouï, ça ! A moins qu'ils aient fait une étude généalogique sur ma famille et découvert qu'un Buron (d'Auvergne) s'était battu à Hastings, en 1066, contre Guillaume le Conquérant.

Ou c'était à cause de lord Byron !... Mon père prétendait (mais il pouvait être très, très blagueur) que les lettres « u » et « y » se confondaient au Moyen Age, et que la branche anglaise des Buron était devenue Byron. Tout simplement !

Je n'en croyais, hélas, pas un mot.

Je pensais plutôt que les Anglais n'aimaient pas les autres peuples, et surtout les petites Françaises.

Je décidai de détester à mon tour toute ma vie les Britanniques, y compris la reine d'Angleterre et ses affreux chapeaux.

Bon ! Le plus urgent, maintenant, était de trouver un travail – à Paris si possible, où j'avais déjà ma petite « chambre-lingerie » – et gagner assez d'argent pour pouvoir : 1) manger autre chose que du riz et des nouilles ; puis : 2) m'acheter des chaussures dont je n'aurais pas besoin de boucher, tous les soirs, les trous avec des semelles (intérieures) découpées dans du carton épais ramassé dans les poubelles ; enfin : 3) me procurer du formol pour y tremper mes mains et arrêter le sang dégoulinant de mes engelures éclatées (une vieille recette paysanne).

Je m'habillai à la hâte et courus acheter un journal avec petites annonces.

L'une d'elles attira mon attention : « *Urgent*. (Ah ! les patrons étaient pressés, eux aussi ! Parfait !) *Cherc. sec. franco-angl....* » En plus, ce n'était pas trop loin de chez moi. Je calculai : vingt minutes de métro avec un changement à Etoile.

J'y galopai.

Il s'agissait d'un petit « club » d'aviation employant deux personnes : un type mince mais costaud et à cheveux gris – sûrement le patron-ex-chef pilote –, plus une secrétaire très, très, enceinte. Ils paraissaient nerveux.

La première question du patron me surprit un peu :

128

— Etes-vous libre tout de suite ?... C'est-à-dire dès aujourd'hui... même maintenant !

— Oui, dis-je fermement.

La secrétaire très, très enceinte me lança un sourire épanoui.

Rasséréné, mon peut-être futur employeur me fit subir un petit interrogatoire : âge ?... anglais ?... sténodactylo ?...

Je répondis oui à tout, même à la question :

— Avez-vous déjà travaillé ?

— J'ai été professeur dans une école anglaise, dans le Yorkshire. (Je m'aperçus plus tard qu'il ignorait complètement où se trouvait le Yorkshire.)

— Parfait, dit le patron qui se leva, ma secrétaire va vous dicter une petite lettre en anglais que vous allez taper sur sa machine. Je reviens dans cinq minutes.

Il sortit.

— Je vous en prie, me chuchota la future mère d'une voix suppliante en se levant et en me faisant signe de m'asseoir à sa place, réussissez votre examen ! Vous avez vu mon ventre ?... Je devrais déjà être à l'hôpital ! Mais ce grand salaud de « singe » (je supposais qu'elle parlait de son patron) ne veut pas me laisser partir tant que je n'ai pas une remplaçante. Je vais finir par accoucher... ici, par terre !

Je hochai la tête et me mis à taper à toute allure le texte dicté par la malheureuse.

— Epatant ! s'exclama-t-elle.

Essoufflée, je me penchai pour relire mon travail.

Et n'en crus pas mes yeux ! TOUT ÉTAIT FAUX !

Je poussai un hurlement de désespoir.

— Que se passe-t-il ? cria la secrétaire, affolée.

— C'est bourré de fautes ! Et pourtant, je vous le jure, je parle anglais plus que couramment et je le tape sans erreur ! J'ai même gagné un premier prix...

— Je sais ce qui se passe, pleurnicha la secrétaire, désolée. Vous avez travaillé sur une machine à écrire anglaise.

— Bien sûr ! J'étais en Angleterre...

— Mais les claviers anglais et français sont différents.

— Personne ne me l'a jamais dit..., balbutiai-je.

— Tant pis ! On va se débrouiller... (Elle saisit une gomme qu'elle me tendit.) Effacez vos erreurs, vite ! vite ! De toute façon, ce « grand con » ne sait pas un mot d'anglais : il ne verra rien (je supposai qu'elle parlait toujours de son patron). Quant à l'orthographe française, ce n'est pas non plus un champion !

Je gommai énergiquement mes fautes.

Le patron rentra.

— Ça s'est bien passé ? demanda-t-il à la future mère.

— Parfait, répondit-elle tranquillement.

Elle se leva rapidement (malgré son gros ventre), posa un béret de travers sur sa tête, enfila en toute hâte son manteau, et se précipita vers la porte comme si son employeur allait la rattraper et la ligoter sur sa chaise.

— A dans trois mois, chef !..., dit-elle avec un sourire épanoui (et se tournant vers moi) : Pour vous, bonne chance !

— Ah, c'est vrai ! s'écria le Patron en me regardant avec inquiétude. J'ai oublié de vous dire que c'était un travail de remplacement de trois mois seulement que je vous proposais. Le temps que Louisette mette au monde son bébé. Ah ! les femmes et leurs enfants, quel emmerdement !

Bien que je fusse déjà féministe, je n'ajoutai aucune remarque (bouffer d'abord !).

Et passai trois mois tranquilles (à apprendre à taper sur clavier français).

Huit jours après mon arrivée, en quittant le « club » le soir, je demandai timidement à mon patron une avance toute petite sur mon tout petit salaire. Il hésita un peu, puis me tendit quelques billets sortis de sa poche.

J'achetai immédiatement une bonne paire de chaussures, style scout avec de solides semelles. Plus un gros manteau en tissu beige, bien épais, avec un gros ruban bleu foncé noué sous le col. Le tout : affreux ! (Avantage : ce qu'il y avait de moins cher dans le magasin.)

Mais :

1. Je ne me rendais absolument pas compte de la mode, ayant généralement vécu en uniforme.

2. Tout ce que je demandais à ce manteau c'était d'être chaud. Il l'était.

Un dimanche, à l'aube, débarqua à l'appartement, Gustav, mon boulanger suédois, sac au dos, et toujours aussi amoureux.

— *Ah ! lilla gröda !* s'exclama-t-il en me serrant très fort dans ses bras musclés.

Je me débattis un peu. Beaucoup pour la frime : mon cousin Christian de F. traversait l'entrée avec le plateau du petit déjeuner de sa femme, et me lança

131

un regard indigné. Ensuite, et surtout, je trouvais les baisers de Gustav baveux.

Je décidai de lui faire visiter Paris.

Tout se passa bien jusqu'au déjeuner. Il apparut alors que ni lui ni moi n'avions assez de sous pour aller déjeuner dans un bistrot parisien, même inconnu.

J'installai mon Suédois sur un banc à l'ombre d'un arbre en face du palais de la Légion d'honneur, grimpai dans ma salle de bains chercher ma casserole sur le bidet, où restait plein de riz de la veille (je commençais à en avoir vraiment marre de cette céréale). J'attrapai deux cuillères en argent aux armes de Grand-père et un pot de confiture d'abricot (en guise de dessert)... et revins installer le « couvert » sur le banc (avec un napperon en dentelle), entre Gustav et moi.

Mon Suédois parut stupéfait. Je saisis une des cuillères en argent, la remplis de riz que je mâchai joyeusement.

Gustav m'imita, mais sans enthousiasme.

Puis vint le dessert (confiture d'abricot).

Je sortis enfin de mon couffin une bouteille de jurançon déjà entamée (pour baptiser les enfants – côté paternel béarnais – à la Henri IV).

Cette fois, mon Suédois apprécia... vida la bouteille... tapota sa montre, fit un vague signe en direction de je ne sais où (la gare du Nord ?), se leva. M'embrassa la main. Et disparut.

Je ne le revis jamais.

Il avait dû comprendre que j'étais complètement fauchée (exact) et que je ne savais absolument pas faire la cuisine (toujours exact), et que j'étais un peu originale (pour ne pas dire complètement folle).

Je ramassai tranquillement mon argenterie et remontai dans ma chambre-lingerie pour une sublime sieste. Débarrassée de Gustav et lui de moi !

Qu'allais-je faire de ma vie, qui commençait à déraper dans tous les sens ?

Depuis quelque temps, j'avais de grands rêves.

1. D'abord, travailler, travailler, travailler, et réussir... par exemple à diriger un journal comme Françoise Giroud.

2. Gagner de l'argent – au passage – pour m'habiller convenablement. Assez de vivre dans des guenilles de SDF ou des uniformes de pensionnaire !

3. Me marier (vierge, bien entendu) et avoir des enfants (nombreux)... Enfin, peut-être pas si nombreux que ça... Trois serait un bon chiffre. Mettons deux, pour commencer.

4. Sortir, avant, dans les boîtes de nuit, et danser, danser, danser. Ce n'est pas quand j'aurais soixante-dix ans que je pourrai valser, m'amuser, avoir des copains, rigoler, etc.

Mais où trouver un danseur ?

Je ne connaissais personne à Paris. Ni même ailleurs (si ! en Afrique...).

Coup de chance : Aliénor vint passer quelques jours dans la capitale (quittant un des superbes châteaux où elle vivait désormais avec son marquis de mari). Elle m'invita à déjeuner pour que nous nous racontions mutuellement nos vies depuis deux ans.

Nous bavardâmes jusqu'à l'épuisement. Puis je lui demandai si, dans nos familles (ou celle de son mari), elle connaissait un garçon qui m'emmènerait danser dans une des célèbres boîtes de nuit de Saint-Germain-des-Prés (je ne fis aucune allusion à mes sarabandes à Whitby avec mes copains des tribus africaines).

Ma très chère cousine sortit de son sac un carnet Hermès (chic ! chic !) qu'elle consulta.

— Oui, dit-elle, je te propose un charmant petit cousin, qui adore sortir. Bonne famille mais fauchée. N'a pas de voiture.

— Je connais et cela m'est égal.

— Peut-être moins quand il faudra que tu rentres à pied de Saint-Germain-des-Prés à la Légion d'honneur, à 6 heures du matin, parce que ton gars ne pourra pas te payer un taxi !

— Je m'en fous, j'ai encore une santé de fer !

Quarante-huit heures plus tard, un certain Sébastien-Marie d'Orfeuillet (quel joli nom !) me téléphona d'une voix fort aimable (peut-être un peu minaudière...) de la part d'Aliénor, et m'invita à passer la soirée du samedi suivant au Lorientais, sa boîte de nuit favorite... « à moins que vous ne préfériez la cave du Tabou », ajouta-t-il poliment.

— Je ne connais ni l'un ni l'autre, avouai-je d'une voix, à mon tour, un peu minaudière. Je serai ravie d'aller avec vous... euh... au Lorientais. Et comment dois-je m'habiller ?

Sébastien-Marie d'Orfeuillet éclata de rire.

— N'importe comment !... Ce qui compte, c'est l'ambiance.

Et, de l'ambiance, il y en avait. Mon cavalier se

révéla un excellent danseur. Il se déchaîna et m'entraîna dans des danses folles au son d'une musique effrénée.

Deux heures plus tard, il me faisait sauter pardessus son épaule.

Nous nous arrêtâmes, essoufflés.

— Eh bien ! Pour quelqu'un qui n'a jamais appris à danser, vous ne vous débrouillez pas mal ! remarqua Sébastien-Marie.

J'allais lui avouer mes soirées africaines à Whitby quand un bras m'enlaça l'épaule droite.

— Dis donc, toi ! Tu danses mieux que tu n'écris ! Alexandre !

Je mentis effrontément :

— J'avais perdu ton adresse.

— Tu parles ! Je parie que tu mens mieux que tu ne danses.

— Affirmatif ! répondis-je. J'ai eu un travail fou... (Phrase que j'allais répéter et entendre ressasser toute ma vie. Mais je ne le savais pas encore.)

Alexandre se tourna vers Sébastien-Marie.

— Je ne danse pas aussi bien que vous, et de loin ! Aussi, me permettez-vous de me contenter d'offrir un verre à ma cousine, Victoria de... euh... j'ai oublié ton nom, ma chérie !

— ... Buron.

— C'est aussi ma cousine, riposta mon autre cavalier (ah bon !). Mais je vous en prie, elle sera sûrement heureuse de boire quelque chose.

Je présentai précipitamment les garçons l'un à l'autre.

Et commandai un cocktail jus d'orange et vodka.

— Une vodka, non ! s'exclama Alexandre. Un whisky, pour Mademoiselle.

Au moment où j'allais protester que je détestais le whisky et son goût de punaise, surgit une fille qui s'adressa d'une voix indignée à Alexandre :

— Merci de m'avoir invitée au Lorientais et de me laisser tomber ensuite comme une vieille chaussette !

Alexandre rigola :

— Mon trésor, arrête de râler. Je comptais aller te chercher plus tard... En attendant, je te présente à une copine/cousine rencontrée dans un train anglais... (Se tournant vers moi :) Voici la célèbre Anne-Marie Cazalis, la mémère la plus drôle que je connaisse... Tu dois lire sa chronique toutes les semaines dans *Elle*.

— Oui. Et j'adore.

Elle allait devenir ma nouvelle meilleure amie.

Nous rigolions tous les matins une heure au téléphone. Jusqu'au samedi terrible où on la trouva morte dans sa cuisine.

Je me suis toujours demandé si elle ne s'était pas suicidée.

Vers 5 heures du matin, tous les dimanches, désormais, Sébastien-Marie me raccompagnait jusqu'à ma porte (deux heures de marche à pied, après une nuit passée à danser).

Je dormais ensuite toute la journée. Jusqu'au lundi matin 5 h 30, heure à laquelle je me levais pour être au bureau à 6 h 30 (si, si, 6 h 30 !).

Parce que...

... j'avais changé de boulot. Les trois mois de congé

de maternité de la secrétaire du club d'aviation avaient pris fin, et je dus chercher un autre travail. A mon grand regret, et, me sembla-t-il, à celui de mon patron l'aviateur. Peut-être craignait-il d'entendre jacasser toute la journée : biberons, couches, nuits blanches, etc.

Quant à l'Administration anglaise, malgré mes réclamations, elle resta aussi silencieuse qu'un ordre religieux.

Bref, je me remis à chercher un nouveau job.

Aucune petite annonce dans les journaux ne m'excitait.

Mes économies baissaient, ainsi que la pension de mon père qui avait, une fois de plus, mis ma belle-mère enceinte (il finira par avoir six filles – en me comptant – plus LE GARÇON : soit sept enfants).

Un jour, dans la rue, je rencontrai ma copine Lucie, installée depuis quelques années dans le plus sale des boulots qu'elle quittait enfin. Elle me le proposa. J'acceptai – momentanément. C'est ainsi que je devins « vendeuse de publicité » pour un vague journal. Mon premier client fut C., un fabricant de sacs en cuir qui se prenait pour Hermès et adorait faire attendre la représentante une heure debout dans son couloir. Ensuite, la renvoyer en lui disant : « Je n'ai pas le temps de vous voir aujourd'hui. Reprenez un rendez-vous avec ma secrétaire. » Un vrai fils de pute ! Je me jurai de ne jamais rien lui acheter, même pas un bouton en cuir. Je travaillai tellement ailleurs que je finis par avoir des é-co-no-mies. Un jour, je repassai devant la boutique de C. Une idée dingue me traversa l'esprit. J'allais entrer dans le magasin (de C.). Tout acheter (je pouvais). Et tout

jeter dans le ruisseau en criant : « Cochonneries !
Cochonneries ! » Heureusement, Notre-Dame de
Buron me parla : « Arrête tes conneries ! » dit-elle
d'une voix douce mais ferme. Je me sauvai, loin de la
tentation.

Je téléphonai à Lucie pour la prévenir. Elle rigola,
puis poussa un cri. Elle se rappelait tout d'un coup
avoir une vague copine, qui avait elle-même une
vague copine qui connaissait une troisième vague
copine qui travaillait dans un magazine de mode
dont le directeur commercial cherchait désespéré-
ment une secrétaire parlant parfaitement l'anglais
(moi ! moi ! moi !) et la sténodactylo. (C'était mon
portrait, non ?)

Je finis par remonter la chaîne des copines et obtenir un rendez-vous au *Vrai Chic parisien*.

Je fus convoquée à 7 heures du matin (?). Bien
qu'un peu surprise par cette heure pas très bureau-
cratique, je me présentai néanmoins pile à l'heure à
mon peut-être futur patron.

Je trouvai, dans un grand bureau sombre d'un
immeuble désert, un petit monsieur chauve, ron-
douillard, en train d'écrire de minuscules papiers,
qu'il disposait soigneusement sur une immense
table, « trombonés » à des lettres.

— Bonjour, monsieur le directeur, dis-je très poliment. Je viens de la part de...

Il me coupa la parole, sans lever la tête :

— A quelle heure vous levez-vous le matin ?

Allons bon : un dingue ! Mais je gardai mon sang-
froid :

— Entre 5 heures et 5 h 30, monsieur le directeur.
Du coup, il me regarda.

138

— Et pourquoi si tôt ?

— Parce que j'y suis habituée. J'ai passé six ans dans des pensionnats français et anglais, où la messe obligatoire était dite à 6 heures du matin.

— Etes-vous prête à venir travailler ici entre 6 h 30 et 7 heures ?

— Mais oui !

Je faillis ajouter : « Si vous me payez bien », mais me rappelai que les patrons ont horreur de toute allusion au salaire de leurs employés.

Le directeur reprit :

— Moi, j'ai été marin dans mon jeune temps, et j'aimais prendre le quart de 4 heures.

Je pris un air admiratif alors que je m'en fichais totalement. Dans ma famille, on était officier de cavalerie, pas marin ! Mon (peut-être) futur patron continua à discourir :

— Ce que je ne supporte pas en ville, c'est le bruit effroyable à partir de 9 heures. Cela me coupe toutes mes idées.

Je hochai la tête, compréhensive.

— Je comprends cela très bien. Moi aussi, j'adore le silence pour travailler (et j'en profitai pour lui débiter mon – court – CV qu'il n'écouta visiblement pas. Par contre, il reprit le sien).

— Parfait ! Parfait ! Moi, j'arrive ici à 5 heures. Et j'écris sur des petits papiers (il eut un geste en direction de sa table) pour indiquer à ma secrétaire le sens de la lettre qu'elle doit écrire en réponse à celle du client. Quand vous arrivez à votre tour, nous parlons un peu, si besoin est. Et je vais me promener aux Tuileries ou pêcher dans la Seine.

— Bien. Et pour le téléphone ?

— Vous notez la communication. Si vous pouvez y répondre vous-même, tant mieux. Sinon, je le fais à l'heure du déjeuner, quand la France bouffe... Je reviens à 14 h 30 pile. Curieusement, il y a moins de bruits de circulation dans la rue l'après-midi. Souvent, je téléphone après 18 heures lorsque les employés sont partis. (Drôlement organisé, le bonhomme !) Je ne vous demande pas de rester au bureau si tard, à moins d'un événement exceptionnel... Je vous propose de partir à 17 heures. (J'approuvai de la tête, ravie. En partant à 17 heures, je pouvais encore faire plein de choses : je ne savais pas encore lesquelles, mais j'étais sûre de trouver !)

Mon (peut-être futur) patron continua, impassible, son petit discours :

— J'ai l'impression que nous nous entendrons bien, et vous serez largement payée !... Cela vous convient-il ?

— Parfaitement. (Il m'avait indiqué un salaire vraiment intéressant.)

— Vous pouvez commencer demain matin, à 6 h 30 ? Pour un essai de trois mois ?

— D'accord. (Mon Dieu ! Pourvu que je sois capable !...)

— Vraiment, vous ne voulez pas venir à 7 heures ? (Il avait pris un ton méprisant.)

— Non, non, absolument pas.

— Bon. Parfait ! Parfait ! En attendant, revenez cet après-midi vous présenter à Madame P., la chef du personnel, et à Madame L., la comptable. Pour qu'on vous prépare un premier contrat. Ces dames n'arrivent qu'à 9 heures. Madame P. va vous donner une carte pour la pointeuse. Et, s'il vous plaît, quand vous aurez des amies dans la maison, ne pointez pas pour elles à 6 h 30, sinon j'aurai des ennuis avec la chef du personnel... Et je déteste les conflits internes !

— Bien sûr !

— Demain, vous vous présenterez au Président.

Ce dernier me reçut quelques instants en me regardant avec curiosité :

— Alors, c'est vous la nouvelle secrétaire de Monsieur Craquelin ?

— Oui, monsieur le Président...

— Il semblerait que vous soyez d'accord pour venir travailler à 6 h 30 du matin !

— Oui, monsieur le Président.

— Et pourquoi ?

— Euh... parce qu'il... euh... Monsieur Craquelin me l'a demandé, et que j'ai l'habitude depuis toute petite de me lever tôt le matin.

— Vous savez qu'il est fou de joie ! Cela fait des années qu'il cherche une collaboratrice qui vienne au bureau avant l'aube ! Mais vous nous coûtez très cher...

Je baissai la tête, feignant la honte.

Et lui, le grand Président, à quelle heure apparaissait-il le matin ? Midi moins cinq probablement... Je décidai de me vendre grâce à un peu de publicité personnelle (cela ne fait jamais de mal) :

— Je parle couramment l'anglais, je suis sténo, et je tape à la machine en anglais et en français : ce sont des claviers différents. En outre, je sais rédiger une lettre toute seule.

— Où étiez-vous avant ?

— D'abord professeur... d'un peu tout, dans un

141

pensionnat anglais pendant un an. Puis, de retour à Paris, secrétaire dans un club d'aviation. Je connais par cœur tous les noms des instruments de bord de tous les avions, dis-je avec fierté.

Le Président éclata de rire.

— Ah bon ! Eh bien, maintenant, il vous faudra apprendre par cœur le moindre détail concernant la mode féminine.

— Oui, monsieur le Président.

Je restai quinze ans au *Vrai Chic parisien*.

Pas une seule fois, je n'arrivai en retard.

C'est que mon patron était déjà là, en manches de chemise, écrivant ses chères petites notes qu'il accrochait par des trombones au « courrier à répondre » posé sur le coin à droite de son grand bureau. Toujours suivant le même principe, il y avait un coin « dossiers » et un autre « à jeter ». Puis, à ma grande surprise (les premières fois), il enfilait sa veste et s'en allait.

Où ?

Il ne me l'a jamais dit.

Il ne revenait qu'à 14 h 30 pile.

Cette fois, il me trouvait à mon poste (j'avais avalé à midi un ou deux sandwichs + un yaourt 0 % au petit café du coin de la rue, avec les autres secrétaires). Parfois, nous mettions en commun nos trois sous pour acheter un billet de la Loterie nationale à une pauvre créature à qui il manquait un bras, assise dans une guérite (portant un placard : « Blessée de guerre ») en face de la grande porte d'entrée du magazine. Nous n'avons jamais rien gagné mais nous avions aidé – peut-être – une malheureuse.

Souvent, j'allais dévorer rapidement un vrai repas avec Grand-mère chez ses bonnes sœurs qui faisaient très bien la cuisine. Je notais qu'avec l'âge, son jansénisme s'estompait. Elle devenait une vieille dame charmante. Je me promis de l'imiter plus tard.

Au retour à mon bureau, je faisais un rapport de quelques lignes (à mon patron, pas à ma grand-mère !) s'il s'était passé quelque chose en son absence et, à 16 heures 30, lui apportais le courrier à signer dans un grand parapheur, symbole de mon emploi.

Nous n'échangions que peu de paroles dans une journée, mais je sentais souvent son regard fixé sur le bas de mon dos.

Agaçant, non ? Bah ! c'était un patron – au moins, il ne me tripotait pas.

A 17 h 29, je rangeais mes papiers, allais pointer de nouveau (la pointeuse était juste en face), et partais après un « bonsoir, monsieur le directeur » très poli, à quoi répondait un « bonsoir, mademoiselle de Buron » également très poli.

Quelquefois, je trouvais, assis par terre sur le trottoir d'en face, les chaussures dans le ruisseau... Alexandre.

J'avais beau le supplier de m'attendre sous la grande horloge, au coin de la rue à droite, avec tous les amoureux des autres demoiselles du magazine, rien à faire !

— Tu as honte de moi ? me demandait-il, ironique.

— Oui, disais-je froidement.

Et je m'éloignais en courant. Rien à faire... il me suivait avec ses grandes papattes.

143

Un jour, je lui racontai les disparitions quotidiennes et matinales de mon patron, qui m'intriguaient de plus en plus. Cela le passionna.

— Je me demande ce qu'il peut bien faire ? marmonnai-je. Il prétend qu'il va pêcher dans la Seine, mais il n'a jamais de ligne ni aucun bazar de pêcheur...

— Il baise ! m'assura Alexandre. Tu veux que je le suive, un matin, pour savoir avec qui ?

— Pour être virée sur-le-champ s'il s'aperçoit de quelque chose ?... Non et non !

Mais Alexandre s'entêta.

Le samedi suivant, au Lorientais, il me glissa :

— Ton cher Monsieur Craquelin, eh bien, il a comme maîtresse une très jolie concierge vietnamienne qui s'appelle Maï, dans une rue derrière l'immeuble de ton journal.

— Une concierge vietnamienne qui s'appelle Maï ! m'exclamai-je, stupéfaite.

— Oui. Elle a l'air plus que gentille. A mon avis, ils ont déjà un petit garçon. C'est pour ça qu'il vient si tôt au bureau le matin : c'est lui qui conduit le môme à la maternelle.

— Mais il est déjà marié, avec, je crois bien, un paquet d'enfants !

— Et alors ?

— Alors rien... Il va peut-être arrêter de regarder mes fesses !

— Parce qu'il regarde aussi tes fesses, le salaud ? Je vais lui foutre une volée, moi !

— Ah, je t'en prie ! Ne te mêle pas de ça ou je ne te revois plus jamais.

— Bon ! bon !

144

Le lundi suivant, mon patron me confia un nouveau et surprenant boulot : déjeuner aimablement avec tous les grands libraires (et diffuseurs de journaux) étrangers – quand ils venaient à Paris – pour pousser les ventes de notre magazine dans leur pays.

— Avec votre bonne éducation (toujours le coup de la particule !) vous vous débrouillerez très bien, assura Monsieur Craquelin. Moi, vous l'avez peut-être remarqué, je ne suis pas mondain du tout – mon père était ouvrier –, et cela m'embête à crever, tous ces bavardages...

Je dus avouer qu'au contraire cela me passionnerait...

(Sans compter que cela me changerait des sandwichs de midi et des nouilles du soir.)

— Bon, alors, marché conclu ?

— Oui. Mais il faut trouver un truc pour que le libraire invité – qui est généralement un homme – ne se croie pas obligé de régler l'addition. Et ne m'empêche pas d'ouvrir mon sac en protestant que, dans son pays, les femmes ne payent jamais au restaurant.

— C'est tout simple. Je vais passer dans les deux ou trois bons restaurants, autour du journal, qui me connaissent, leur expliquer que c'est vous qui signerez la facture, et que je viendrai régler régulièrement.

— Formidable !

Ce ne fut pas si facile.

Surtout avec les Américains du Sud (ceux que l'on appelle maintenant les « Latinos »). Ils considéraient visiblement que payer le déjeuner d'une femme leur revenait de droit.

Je finis par leur faire comprendre qu'ils étaient les invités... de la France ! Et qu'ils pouvaient – très éventuellement – me remercier, si leur amour-propre l'exigeait, en m'envoyant une rose.

Certaines semaines, mon bureau (car j'avais maintenant un petit bureau à moi à côté de celui de mon patron !) ressemblait à la boutique de Veyrat, mon cher fleuriste.

Madame P., la chef du personnel, qui me détestait (je me demandais bien pourquoi !...), disait, paraît-il, à tout le personnel du *Vrai Chic parisien* : « Cette petite Mademoiselle de Buron est une PUTE ! »

Au début, je riais. Puis, un jour, cela m'énerva.

Je demandai à Monsieur Craquelin d'aller expliquer à cette dame que mes bouquets étaient la récompense de mon travail.

Mon patron me raconta alors la vie de Madame P. Elle s'était mariée une fois (si ! si !). L'époux, au matin des noces, se leva à l'aube, prit une immense canne à pêche et tout un matériel qu'il avait emporté discrètement dans le coffre de sa voiture. Et disparut toute la journée.

Ce qu'il aimait, ce n'était pas sa femme, mais la pêche à la truite.

Elle ne s'en remit jamais.

Quant à moi, j'avais lu dans un journal (car maintenant je lisais mon quotidien tous les matins dans le métro, pour savoir ce qui se passait dans les pays de mes chers libraires), donc j'avais lu qu'un conseiller de notre président de la République notait scrupuleusement, et en douce, sur un carnet, les détails personnels concernant « l'hôte de la France ». Quelle merveilleuse idée !

Rentrée dans mon bureau, après un délicieux déjeuner (mais sans caviar, mon patron le trouvant trop cher et moi aussi !), j'écrivais donc sur un cahier spécial les anecdotes de mes invités.

Exemple :

« *Israël*. Deux libraires à Jérusalem. L'un séfarade *, l'autre allemand. Se détestent. Le séfarade est passionné par la décoration de sa vitrine. Il a une petite fille de douze ans, Sarah, qui vient de gagner le premier prix de tir à la mitraillette de son école. Il en est très fier. »

Lors de la visite suivante du libraire séfarade, je lui demandai des nouvelles de notre chère petite Sarah et si elle continuait à gagner les premiers prix de tir à la mitraillette de son école. Le libraire, stupéfait et ravi de l'attention que *Le Vrai Chic parisien* lui portait, doubla immédiatement ses commandes et décora toute sa vitrine avec notre magazine.

Une année passa, et je me préparais à prendre mon mois de vacances. Au grand désespoir de Monsieur Craquelin : les patrons détestent voir leurs secrétaires s'en aller, ils ne savaient où, faire ils ne savaient quoi... et surtout avec qui !

En fait, je ne partais que trois semaines. J'avais déjà pris une semaine à Pâques avec mon amie Lucie, dans un petit hôtel pas cher à Palma de Majorque, planté sur une colline (le petit hôtel), avec un téléphérique qui descendait directement les clients sur la plage.

---

* Séfarade : Juif d'origine méditerranéenne.

Nous n'avions jamais vu un téléphérique de mer... et je n'en revis jamais d'autre.

J'enfilai mon maillot de bains une pièce (il n'était pas encore question de maillots deux pièces ou encore moins de seins nus). Je me jetai dans la mer chaude et commençai à nager avec délices.

Vive la Méditerranée !

Soudain, coups de sifflet impératifs.

Je tournai machinalement la tête et vis un *guardia civil* me faire de grands signes impérieux. Je revins au rivage.

Il me fit comprendre avec indignation que je m'étais... trompée de plage.

— Ah bon ! Et comment cela ?...

J'avais osé nager dans celle *des hommes*, séparée de la plage *des femmes* par des piquets et une grosse corde.

C'était en... en... enfin, c'était il y a très long-temps !

— Tu as des projets pour les vacances ? me demanda Alexandre au bar du Lorientais où nous buvions nos cocktails entre mes numéros de danse avec Sébastien-Marie.

Les deux garçons étaient devenus de grands copains.

— Je ne sais pas trop, dis-je, un peu boudeuse. Peut-être irai-je me reposer à la campagne, dans la propriété de ma grand-mère...

— Mais tu vas t'emmerder ! s'exclama mon amou-reux numéro 1. Tu auras tout le temps de te reposer quand tu seras mariée, avec une tripotée d'enfants.

— Nous, nous avons un plan épatant ! s'exclama

Sébastien-Marie, enthousiaste : traverser le Sahara ! J'ai un oncle qui me prête une vieille Willis que je fais réparer. Si tu veux, on t'emmène !

— Il reste justement une place, insista Alexandre, les yeux brillants. Ce serait sympa, non ?

— Allez, viens ! appuya Sébastien-Marie.

L'idée me tentait aussi.

Je hochai la tête.

— D'accord ! Mais quand partez-vous ? Parce que j'attends un libraire libanais important.

— Mais tu nous casses les pieds avec tes libraires ! s'écrièrent les deux garçons. Télégraphie à ton Libanais de sauter dans le premier avion pour Paris, et basta !

— De toute façon, nous nous occupons de tout.

— Tu peux même nous rattraper à Alger.

J'eus le tort de prévenir mon patron de mes vacances sahariennes. Il pinça les lèvres d'un air mécontent. Je ne sus jamais s'il était jaloux de mon expédition un peu hardie (à l'époque, il n'y avait pas de course automobile dans le désert). Ou s'il avait peur de perdre dans les sables une secrétaire qui venait enfin au bureau à 6 h 30 du matin...

Le Sahara

Le Sahara

13

Il était une fois... le Sahara * !

Quand je descendis de l'avion à *Alger*, mes petits camarades m'attendaient et poussèrent des clameurs de bienvenue.

Alexandre et Sébastien-Marie m'embrassèrent sur les deux joues. Déjà, avant de quitter le bureau, mon patron m'avait serrée dans ses bras en me chuchotant : « Faites bien attention à vous, et revenez-moi vite ! »

Au fond, peut-être m'aimait-on (un peu...) ?

Je ne connaissais pas le couple qui nous accompagnait : Inès, dite Biche, et son mari, Olivier, de quinze ans plus jeune (cela n'était pas encore à la mode... à part chez ma mère).

Devant l'aéroport était garé un 4 × 4 Willis kaki transformé en voiture de déménagement. Chargé et surchargé (intérieur et extérieur) de valises, de cantines, d'un Butagaz de campagne, d'un matériel complet de camping pour deux compagnies de boy-

* Certains passages de ce chapitre sont extraits de *Drôle de Sahara*, paru en 1956 aux éditions Pierre Horay (épuisé).

scouts, de bidons, de jerricans, et d'une autre Willis en pièces détachées, etc.

J'aperçus même, arrimée sur le toit, une chaise de salle de bains en bois blanc dont le fond canné avait été soigneusement découpé. Olivier m'expliqua d'un air un peu gêné qu'il s'agissait d'une chaise percée comme sous Louis XIV. Je lui demandai la permission de le photographier, assis sur ce siège en plein cœur du Sahara. Il refusa poliment. Je me jurai d'y parvenir. (Mais j'oubliai.)

Finalement, nous parvînmes à grimper tous dans la voiture.

On me poussa à l'arrière, entre Alexandre et Olivier, assise sur quelque chose de bizarre.

— Attention ! Tu écrases mon casque colonial tout neuf ! me cria Sébastien-Marie au volant de la voiture de son oncle. (On avait décidé de tous se tutoyer.)

— Et je m'assieds où ?

Alexandre extirpa ledit couvre-chef de dessous mes fesses et l'enfonça sur la tête de notre chauffeur.

— Et maintenant, fous-nous la paix et démarre !

— Ah, ne vous disputez pas dès le départ ! s'exclama Biche.

Nous voilà en route pour l'Aventure.

Sébastien-Marie me raconta qu'Alexandre et lui étaient là, à Alger, depuis deux jours, à dédouaner la Willis – un vrai boulot ! – suivant les indications des employés de notre chère Administration française (celui qui s'était occupé d'eux avait, paraît-il, un accent faubourien bien qu'il soit né à *Alger*) ; il déclara :

- D'abord, y faut un premier questionnaire sur la voiture :

- D'où vient-elle, cette bagnole ? Ce n'est pas français, ça, une « Willis » ! (Il prononça « Ouiiilisse ».)

- Où elle va ?

- Combien de fois ? Vous ne le savez pas ? Tant pis !

- Son poids.

- Son numéro de moteur.

- A qui appartient-elle ?

- Comment ça, pas à vous ?... Elle est volée ? Non ? Vous avez la carte grise ?

- Elle est à votre oncle ?

- Vous avez la photocopie de son permis de conduire ? Dites donc ! il est très vieux... Si vous la cassez, sa Willis, ce ne sera pas trop grave !

- Et puis, qu'est-ce qu'il y a dedans ?... Y faut un état complet de votre fourbi, s'il vous plaît !

- C'est pour quoi faire toutes ces provisions ?... Aller au Sahara... Qui va au Sahara ? Vous !... Ah, mes pauvres enfants ! Vous êtes pas arrivés !

- Alors, maintenant, y faut un questionnaire d'identité par personne, s'il vous plaît !

- Vos noms, prénoms, dates et lieux de naissance. Ceux de vos parents. De vos grands-parents. N'oubliez pas votre grand-mère. On a eu plein d'ennuis, le mois dernier, à cause qu'un touriste, il avait oublié sa grand-mère.

- Vos sexes, tous vos sexes ! s'il vous plaît. Bon. Ça va ! (L'employé est rassuré.)

- Jour de votre sortie du pays ?... Vous ne savez pas non plus ! Ben, mettez n'importe quoi ! Cela n'a pas d'importance.

• Comment !... Des fusils, maintenant ! Ah, y a un formulaire spécial à remplir ! Ben, oui, c'est important, les lions. Non, il y a pas de lions au Sahara. Mais c'est quand même important.

• Dites donc, moi, y faut que je m'en aille chercher mon môme à l'école. Je suis déjà en retard. Alors, vous remettez à mes collègues tous ces papiers tapés à la machine à écrire, en quinze exemplaires. Quoi ? Vous n'avez pas de machine à écrire ?... Demandez à votre transitaire... Hein ! Vous n'avez pas de transitaire non plus ? Trouvez-en un ! Il y en a plein sur la place, en face... Et moyennant un petit pourboire à une secrétaire...

• Ensuite le Vérificateur des Douanes vérifiera votre bordel, puis l'Inspecteur adjoint lira tout ça, et l'Inspecteur en chef le signera.

• Quoi ? Oui, cela vous prendra deux jours, ce n'est pas un drame, deux jours ! Et il y a un très bon hôtel de l'autre côté de la place que je vous recommande. Dites que vous venez de ma part et donnez-leur un bon pourboire ! N'oubliez pas !...

Le soir même, après mon arrivée, nous filons à toute allure vers *Bou-Saâda*.

Nous traversons des petits villages endormis dans la nuit. De temps en temps, un café ouvert où quelques silhouettes accroupies jouent aux cartes, autour d'une bougie.

Soudain, un gendarme surgit dans la lueur de nos phares, et nous arrête.

— Alors, messieurs ! Vous ne savez pas que l'on met en code dans les *agglomérations* ?

Présence et grandeur de la France (d'autrefois).

Vous vous croyez dans le désert, mais un représentant de l'ordre est là et veille, carnet de contraventions à la main.

A *Bou-Saâda*, nous décidons de manger quelque chose et de dormir.

Une piste caillouteuse nous conduit à un magnifique hôtel, avec un énorme salon blanc orné de tapis arabes, blancs aussi.

Inès, dite Biche, et moi nous nous écroulons sur un large divan (toujours blanc), où nous réclamons du thé et des cornes de gazelle (ma passion).

Fatiguée (ce matin, j'étais encore au bureau !), je ferme les yeux. Au bout d'un moment je sens que Biche m'observe. J'ouvre un œil. Oui, elle me regarde fixement et me demande :

— Vierge ?

Je reste stupéfaite. Personne ne m'a jamais posé la question aussi directement. Et inutilement. Je l'ai dit plusieurs fois, j'appartiens à une époque et à une famille où l'on se mariait vierge. Ce bon marché de ma vertu me met en colère. Je réponds froidement :

— Bien sûr. A moins que l'ange Gabriel n'ait omis de me prévenir...

— Excuse-moi, dit Inès, je ne voulais pas te vexer, ni faire allusion à ton pucelage ! Mais j'ai une marotte : l'étude des astres, les horoscopes solaires, lunaires, etc. Cela me fascine. Je regrette de ne pas être cartomancienne.

— Pas moi ! m'exclamai-je. Et pourtant je lis mon horoscope tous les jours dans le journal. S'il est mauvais, je n'y crois pas... S'il est bon, je le découpe et je l'épingle dans mon agenda de bureau... et je l'oublie !

Biche rigole. Et on n'en parle plus.

157

Le lendemain, jour de marché à *Bou-Saâda*.

Tout au long des rues, des hommes assis ou accroupis. Ils boivent du thé. Ils ne parlent pas. Ils attendent que l'heure passe...

Un vieillard déambule, noblement drapé dans une djellaba blanche. Mais ses pieds sont chaussés de bonnes grosses charentaises marron « bien de chez nous ».

Le soir, nous assistons aux danses des Ouled Naïls.

Sous l'œil fardé d'une énorme mère-patronne, les filles ondulent et font tressauter leur ventre. Leurs têtes se balancent comme celles de serpents. Tout à l'heure (après que les hommes de leur tribu se sont tournés face au mur), je m'émerveillerai devant leurs corps nus d'enfants. Et d'apprendre que la plupart étaient déjà mères de famille.

Le lendemain matin, un peu hébétés par le manque de sommeil, nous repartons vers *Djelfa*... où nous nous trouvons en pleine tempête de neige !

Chacun s'exclame : « Ce n'est plus l'Algérie, mais la Savoie ! » « Non ! cela ressemble à la Laponie !... » « Non ! au pôle Nord ! »

Je déteste la neige et la montagne. Je n'y ai jamais eu que des ennuis. La première fois à Ifrane (Atlas marocain) où je me suis retrouvée toute seule, une nuit, dans une maison louée par ma mère (partie danser), et où j'ai entendu des hurlements de bébé égorgé.

— Ce n'était rien ! rigola ma mère en rentrant. Juste une hyène qui fouillait nos poubelles.

Une autre fois, j'ai passé trois jours à Innsbruck (Autriche). Décidée à apprendre à skier. Un très mignon moniteur (bien choisi), m'a mis des skis aux pieds. Dix mètres plus loin, je suis tombée, la cheville droite foulée.

Aujourd'hui je grelotte de froid en plein Sahara, tandis que mes copains enfilent de gros chandails. Quel est l'imbécile qui m'a dit que le désert était brûlant ?

Pas Alexandre, en tout cas, car il enlève son gilet en cachemire et le pose sur mes épaules délicatement. Ce geste galant m'épate. A moins que... Non ! Impossible.

Mauvais déjeuner à *Laghouat*, grande oasis poussiéreuse. (Le soleil a vaguement réapparu. Le sol desséché est pointillé de touffes d'alfa. Vilain paysage.)

Je me demande à voix haute si je ne vais pas revenir pour de douces vacances en Provence...

Surtout que la Willis manque d'écraser un chameau qui débouche d'un carrefour dans un galop de charge effréné. Au grand saisissement d'Olivier, toujours au volant de la voiture, et d'un magnifique agent de police occupé à régler une circulation inexistante. Derrière le chameau, court un Arabe, les bras levés vers le ciel, implorant Allah de lui rendre son bien. Ses cris et les gestes désordonnés du policier achèvent d'affoler la malheureuse bête. Elle se met à zigzaguer devant la Willis.

— Olivier ! braque à gauche !... Non ! braque à droite ! hurlons-nous.

Nous ratons de peu et le fossé et le chameau.

Alexandre, le buste sorti par la portière, a filmé toute la scène au péril de sa vie. Il vit caméra en main ! Dieu merci, sa science de cinéaste est neuve...

159

Après avoir tourné deux scènes sur le même film, puis une autre scène sans film, il abandonne une carrière fulgurante, mais courte.

Ghardaïa est une des sept oasis au cœur du *M'Zab*, au fond d'une cuvette sans eau. Température brûlante, maintenant !

— « Chaleur torride en été » : je veux bien le croire ! lit pieusement à voix haute Biche dans un guide, sorti de je ne sais où.

Mes compagnons désirent néanmoins se promener dans les souks.

J'ai tellement traversé la médina et le mellah de Rabat que je préfère rester dans la Willis, soi-disant pour me reposer.

Biche et Sébastien-Marie reviennent fous de joie d'avoir acheté (sans en discuter le prix : le vendeur a dû être très déçu d'être privé d'un joyeux marchandage) des boules de verre de toutes les couleurs.

Je ne fais pas remarquer qu'on trouve les mêmes dans les grands magasins parisiens au moment de Noël.

Beni-Isguem est à quelques kilomètres de là.

Les Européens ne peuvent y vivre, et les portes se ferment devant eux au coucher du soleil. Un silence règne, religieux. De nobles vieillards au beau visage discutent des sourates du Coran, assis en tailleur devant leur porte (hélas, ils doivent être morts, à l'heure actuelle, remplacés probablement par des terroristes fous).

Notre hôtel de *Ghardaïa* est luxueux.

La douche chaude marche. Ce sera notre dernière

douche chaude avant l'Afrique, nous prévient le patron. Demain, nous quittons la route pour la piste. Nous entrons dans la fière confrérie de ceux qui ont « fait la piste », ou « font le désert ».

Le désert... Qu'est-ce que le désert ? Ce sont DES déserts !

Celui de cailloux, et même de galets.

Celui d'argile craquelée.

Celui plat à 360 degrés.

Un autre, borné à l'horizon de dunes. Un autre encore, entièrement noir, et où vous finissez par vous sentir étranglé par l'angoisse : demain, il sera jaune (?)...

Que le soleil dessèche un sable brûlant ou que le vent galope en hurlant sur un plateau de pierre, le désert ne laisse jamais oublier son caractère impitoyable.

Et cela ne sera pas le moins surprenant des spectacles que de voir surgir, de temps à autre, cheminant tranquillement à côté de la voiture, un être humain venant apparemment de nulle part et disparaissant brusquement vers... on ne sait où !

Les poteaux télégraphiques se sont volatilisés. Nous en tirons le sentiment triomphant d'avoir quitté la civilisation.

Nous dînons assis par terre le long d'un petit *borj* (petit lac), avec nos propres provisions.

Alexandre recrache avec horreur des saucisses au piment, et des gros pois durs, lointains cousins des pois chiches (le tout sorti d'une boîte). On lui fait remarquer qu'au désert, il ne faut pas se montrer difficile. Il répond que sa Sainte Mère l'a fait souffrir toute son enfance avec des formules identiques : enfants affamés, petites filles chinoises livrées aux cochons, etc. Je l'avise que je connais ces phrases par cœur. Les autres aussi. Nous avons tous été élevés de la même façon (ce qui ne sera pas le cas avec nos petits-enfants !).

Alexandre désire alors être informé du sort que nous réservons à nos provisions gastronomiques : jusqu'ici, il avait pensé qu'elles étaient destinées à nous nourrir, mais que comptons-nous faire de cette pitance infecte de saucisses au piment et de gros pois durs comme des cailloux ?...

Sébastien-Marie lui explique patiemment que ces vivres ne sont là qu'« *en cas* ». « *En cas*... de panne de voiture en plein désert. » « *En cas*... d'absence totale de restaurant... » « *En cas*... de manque complet d'oasis », etc.

Pour arrêter la conversation qui menace de s'envenimer, Biche/Inès fait remarquer qu'il y a deux camions en panne devant le *borj*. Les trois garçons se lèvent immédiatement et vont discuter mécanique avec les conducteurs.

— Tu vois ? me fait remarquer Biche, si tu veux te débarrasser d'un type, tu lui signales un problème mécanique un peu plus loin... Il t'abandonne sur-le-champ !

— Je sais ! dis-je en hochant la tête.

Et nous regardons le soleil pourpre qui se couche derrière des dunes de sable qui tournent à l'orange vif, puis au rose pâle... nous chuchotons toutes les deux, émerveillées : « Que c'est beau ! »

Les garçons arrivent et s'exclament à leur tour.

— Ah ! c'est magnifique ! Ah ! c'est splendide !

162

— Comme nous avons eu raison d'amener des poètes avec nous ! ricane Biche.

La nuit tombe brutalement et nous réduit tous au silence, comme une cage de perroquets sur laquelle tomberait un voile noir.

Seule, la voix de Sébastien-Marie retentit qui nous avertit que nous devons repartir immédiatement pour *El Golea*.

— Quoi ? En pleine nuit ? Nous allons perdre la piste !...

La journée du lendemain est réservée à la vidange de la voiture, prévue à El Golea dans un bon garage signalé dans le Guide S.

On repart en bâillant.

Juste avant l'oasis, des derricks violemment éclairés créent un décor de *Salaire de la peur*.

On fore du pétrole en plein désert.

Un peu plus loin, au milieu de la route, un immense chien étalé par terre gémit.

— Un salaud l'a écrasé ! crie Biche. On s'arrête, on l'amène chez un vétérinaire !

Par une immense avenue déserte bordée de palmiers, nous entrons enfin dans un *El Golea* aux machines bruyantes.

Nous réveillons le patron du premier hôtel que nous apercevons. Il ouvre avec méfiance à notre petite troupe agitée, surtout quand nous réclamons un reste de quelque chose à manger, par exemple une omelette...

— Mon cuisinier dort, répond-il sèchement.

Il se croit au Crillon, celui-là ?

Bon... Tant pis ! Pas d'omelette, mais alors peut-il nous prêter des couvertures supplémentaires et de l'eau chaude car la température est glaciale, la nuit, au Sahara ! (Une bonne âme m'avait prévenue et j'ai emporté ma bouillotte.)

— Mais il ne fait pas froid, voyons ! s'exclame l'El Goléen (?). L'hiver est fini. Et puis qu'est-ce que c'est que ce chien de bled que vous trimballez ?

Nous plantons là ce personnage désagréable et trouvons, par je ne sais quel miracle, un deuxième hôtel où le patron a « tout ce que nous voulons ».

Ce qui, finalement, se réduit à des saucisses au piment et des pois toujours durs comme des cailloux...

Mais il nous prête une masse de couvertures (du coup, je n'ai pas besoin de sortir ma bouillotte). Et téléphone à son copain, le vétérinaire, pour qu'il vienne soigner d'urgence Atlas. La pauvre bête a, en effet, une patte très abîmée.

C'est un magnifique chien de bled, comme celui de mon deuxième beau-père (non, premier beau-père... ou troisième ? Je ne sais plus !...), né d'un lion et d'une bergère allemande.

— On ne pouvait pas le laisser crever sur la route ! s'exclame Biche.

Nous approuvons tous.

Olivier et Alexandre vont chercher dans la voiture une de nos vieilles couvertures, glissent notre blessé dessus et l'installent sur la banquette arrière de la Willis.

— Et nous, où on va s'asseoir ? demande Biche.

— Débrouille-toi ! dit son mari. Tu voulais le chien : tu l'as ! Tu n'as qu'à te glisser sous sa tête, et Victoria s'assoira devant, sur les genoux d'Alexandre.

164

— Mais c'est qu'elle est lourde, notre Victoria ! remarque Alexandre en se marrant.

— Je te remercie ! dis-je, furieuse. Et je te signale que si, un jour, tu t'étales, blessé, sur ma route, moi je te laisserai crever !

— Mais tu ne comprends pas que je te taquine, ma chérie ? s'exclame Alexandre. Tu sais bien que je t'adore !

Je n'en crois pas un mot. Un homme qui m'aimerait ne pourrait pas insinuer... que je suis un peu grosse... Crétin !

Nous regardons avec admiration le véto nettoyer la plaie de la patte d'Atlas et lui installer une attelle. Il refuse d'être payé (le véto). Ce n'est pas en France que cela arriverait.

Nous allons finalement nous coucher à l'hôtel après avoir décidé que notre chien serait le cadeau de Biche dont l'anniversaire tombe dans deux jours.

Le lendemain matin, au petit déjeuner (seuls Alexandre et Atlas dorment encore), nous apprenons qu'il est temps d'aller rendre nos devoirs à notre mère : l'Armée.

Désormais, nous devrons nous présenter à chaque arrivée aux Autorités militaires enfermées dans leur fort, et notre départ sera signalé par radio au poste suivant.

Dans les jardins verdoyants de l'annexe militaire, le Capitaine se promène. Il semble de mauvaise humeur, ainsi que les deux lévriers qui l'escortent. Tout cela ne nous rassure pas.

— Ah ! c'est vous, les Parisiens ! dit le Capitaine. Bon ! eh bien, vous ne pouvez pas continuer comme cela...

165

— Comment : « comme cela » ?

— Combien êtes-vous ?

— Cinq et... euh... un chien !

— Le chien, ça va (nous sentons que s'il ne tenait qu'à lui, il laisserait Atlas continuer seul avec notre voiture et nos provisions, tandis que nous irions en fourrière).

Suit une discussion technique avec Sébastien-Marie et Olivier d'où il ressort qu'étant donné le poids de charge de la voiture, notre poids à tous, les cent litres d'eau, les réserves d'essence, les bagages, les provisions, etc. (naturellement toujours pas un mot sur Atlas), nous ne pouvons pas continuer à cinq. Nous... enfin : nos lames de ressort.

Le Capitaine sait très bien que nos lames de ressort ne tiendront pas le coup. Sébastien-Marie proteste. Ce sont ses lames de ressort, après tout !

— Ma parole ! vous croyez tous faire une promenade sur la Côte d'Azur ! s'exclame le Capitaine. Comme cette jeune folle d'Américaine qui est passée hier en jeep !... Même pas venue au rapport ! Pourtant, il est interdit de prendre seul la piste. J'ai immédiatement envoyé un message radio pour qu'on l'arrête à *In Salah*. Tenez, il n'y a pas très longtemps, pas très loin d'ici, trois touristes se sont perdus. Quand on les a retrouvés, ils étaient morts de soif. Et c'est pas drôle de mourir de soif, c'est moi qui vous le dis !

Tête basse, nous tournons dans les jardins comme une troupe d'écoliers punis.

— Pas de chance, c'est un Bélier, le Capitaine..., murmure Biche.

— Quoi ? dit le Capitaine qui, tout Bélier qu'il est, a l'oreille fine.

Biche ne se dégonfle pas.

— Capitaine ! N'êtes-vous pas né entre un 21 mars et un 20 avril ?

— Si, répond l'officier français surpris.

Biche lui explique alors que tous ceux qui ont eu la chance de naître entre un 21 mars et un 20 avril sont, astralement, des êtres d'élite.

Le Capitaine se passionne.

Il est homme, après tout, bien que militaire !

Il prend le bras de Biche et l'entraîne dans un sentier bordé de fleurs inconnues, où nous les entendons discuter véhémentement.

Lorsqu'ils reviennent, notre « trois galons » est radieux. Inès a dû lui promettre qu'il deviendrait colonel ! Qui sait... peut-être général !

Nous nous regardons tous, pensant : « Ça y est ! L'affaire est dans le sac ! Il n'aura plus le cœur de nous empêcher de continuer. »

Nous avions compté sans le Règlement.

Un militaire peut, parfois, être un homme comme les autres, un ami même ! Un père (pourquoi pas ? J'en ai bien un !). Mais tout cela dans le cadre du Règlement. (Y compris les fessées à la cravache de mon papa ?)

Donc le Capitaine maintient ses positions.

Tristement, mais fermement.

Nous déjeunons dans un boui-boui. Non moins tristement, mais fermement nous aussi.

Le ventre bourré de couscous, dans une saine gaieté de banquet, Olivier trouve la solution : Biche et lui monteront demain dans un camion indigène jusqu'à *In Salah* où nous les retrouverons. Et nous continuerons notre expédition tous ensemble, loin de ce Bélier de Capitaine.

L'un de nos espions (parce que le Capitaine a peut-être des méharistes, mais nous, nous avons des espions), notre espion donc – le garagiste –, a révélé à Olivier que le Règlement n'était pas encore parvenu à In Salah.

Une fois de plus, départ tôt le lendemain suivant. Biche et Olivier sont déjà montés à l'aube dans un camion inconnu mais amical. Ne restent dans la 4 × 4 que Sébastien-Marie, au volant, et Alexandre (monté à l'avant sans me laisser la place : non seulement crétin mais mal élevé !). Je suis à l'arrière avec Atlas.

Nous longeons un lac marécageux d'où s'envolent des flamants roses. Cela ne nous épate pas. Nous avons les nôtres (de flamants roses) en Camargue.

On roule à quarante à l'heure sur un plateau de pierres noires, éclatées, calcinées par le soleil : le *Tademaït*. Il nous semble sans fin. La journée passe lentement.

L'angoisse me prend. Du coup, je voudrais manger quelque chose (nous n'avons pas déjeuné). Certains dépressifs font passer leur anxiété avec un médicament. D'autres (moi, par exemple) préfèrent un baba au rhum.

— Il n'est pas question de s'arrêter dans ce désert horrible, répond Sébastien-Marie. Nous dînerons à *In Salah*, voilà tout !

Non ! pas voilà tout ! Je crie que j'ai faim. J'ai honte de moi, bien sûr, mais je suis, hélas, une de ces robustes créatures un peu fortes (je l'ai déjà dit et redit !) qui réclament deux solides repas par jour, quelquefois trois ! (et tous avec des babas au rhum ou des millefeuilles).

— Cela te ferait pourtant le plus grand bien de jeûner un peu, observe Alexandre.

Ah ! le salaud ! Il a deviné que je souffrais d'être un peu... heu... potelée, mais que je suis incapable de sauter un repas ou même de rester sans nourriture une heure de trop !

J'essaie une tactique sournoise :

— On ne va quand même pas rapporter toutes ces provisions à Paris ?

Comme prévu, j'ai piqué au vif dans le talon d'Achille de Sébastien-Marie, responsable de ces achats en masse.

— Bon ! grogne ce dernier. Ouvre une boîte de sardines, et fiche-nous la paix !

Déblayer tout ce qui se trouve sur la cantine à provisions me prend vingt minutes.

Il apparaît, ensuite, que le couvercle de ladite cantine s'ouvre dans le mauvais sens, formant ainsi un rempart entre les conserves de poisson et moi.

Mais je suis têtue... on le sait ! En allongeant un bras de pieuvre, je réussis à ramener jusqu'à ma poitrine une boîte de sardines à l'huile d'olive au basilic.

Mieux encore : la boîte de sardines s'ouvre avec une clé. Je la tourne (la clé), tout en félicitant Sébastien-Marie de sa prévoyance. Il pousse un petit grognement de satisfaction.

Hélas, à ce moment-là, la Willis saute sur une bosse... Un sac de couchage glisse du hamac pendu à l'arrière, me coiffe la tête, l'huile d'olive au basilic se renverse et inonde mon pantalon.

Et merdassek !... (Exclamation préférée de mon papa.)

Dieu merci, les garçons, à l'avant, ne se doutent de rien et je me garde bien de signaler l'incident. Atlas ne me trahit pas.

Le bruit de ma mastication (que j'exagère exprès) donne faim aux autres.

Alexandre perd sa dignité le premier.

— File-moi des sardines aussi, demande-t-il.

Je lui donne une deuxième boîte et j'attends.

Des exclamations furieuses m'apprennent, au bout de trois minutes, que l'huile d'olive au basilic s'est également répandue sur le pantalon d'Alexandre.

Ah, Vengeance, que ton nom est doux !

In Salah la Rouge apparaît enfin, avec ses murs de boue pourpre et son architecture de style africain. Elle a du reste été bâtie par des esclaves noirs, nous apprend le Guide S, achetés au marché par des Arabes et non par des Français (paraît-il).

Biche et Olivier nous attendent sur la grand-place.

Ils se précipitent pour ouvrir les portières et nous embrasser... (ainsi qu'Atlas, bien sûr)... mais reculent.

— Il y a une drôle d'odeur dans cette bagnole ! Qu'est-ce qui s'est passé ?

Je mens pour défendre mes compagnons :

— Rien !... Rien du tout.

Alexandre coupe la conversation :

— Déballons et dînons !

On sort le Butagaz, des nouilles, de la soupe au potiron (ma folie), du saucisson, des petits biscuits, de la compote de rhubarbe anglaise, et même une table et des fauteuils pliants.

Un vrai festin !

Nous nous agitons, Biche et moi, à la lueur d'une lampe-tempête environnée d'un ballet d'insectes.

Pendant ce temps, les garçons montent les tentes dans un coin éloigné de la place.

C'est ma première nuit sous une tente.

Je déteste.

La mienne n'est pas assez haute pour moi, et je ne peux m'y mouvoir ni debout ni courbée. J'en suis réduite à marcher à quatre pattes. Or, je défie une femme sur terre – ou une jeune fille – de conserver la dignité et la grâce qui doivent la caractériser lorsqu'elle sort à quatre pattes d'une tente.

De plus, je me trouve nez à museau avec un chien inconnu (Atlas s'est étendu dans la Willis). Dieu merci, le clébard a peur de moi et se sauve.

« Méfiez-vous ! le Sahara est traître... », nous explique le patron de l'hôtel où nous prenons notre petit déjeuner, comme d'habitude, le lendemain matin (pour nous permettre de nous laver ensuite dans les toilettes).

J'ai eu la flemme de nettoyer la vaisselle sale en plastique, la veille au soir. Je l'ai empilée sournoisement dans un carton (jeté ensuite dans une poubelle militaire), en faisant bien attention que personne ne me voie.

— Oui ! reprend le patron de l'hôtel qui tient absolument à nous informer, il n'y a pas très longtemps, et près d'ici, trois touristes se sont perdus et sont morts de soif ! On n'a retrouvé que des ossements !

— On sait ! On sait ! grogne Alexandre que cette histoire de touristes mourant de soif exaspère.

Je suis, moi aussi, de mauvaise humeur (je n'ai pas

171

dormi de la nuit), alors que j'ai entendu Alexandre ronfler sous sa propre tente (crétin, mal élevé et maintenant ronfleur ! Quel affreux bonhomme !).

Dans l'après-midi, nous partons vers *Arak*, malgré une forte tempête de sable.

Par instants sa violence est telle qu'il faut nous arrêter pour attendre que le tourbillon soit passé, et afin d'apercevoir de nouveau le tas de cailloux ou le bidon vide (peints en rouge) qui marquent la piste.

Nous savons que, si nous perdons notre chemin ou si nous tombons en panne, une voiture de secours du prochain poste militaire partira à notre recherche au bout de quarante-huit heures. Mais si nous nous égarons, personne ne nous retrouvera, surtout si le vent de sable a effacé les traces de la piste.

De toute façon, l'assurance prise à *Alger* couvre la voiture, mais pas les passagers. Nous avions décidé tous ensemble qu'il était plus difficile de trouver, pour Sébastien-Marie, deux millions pour acheter une nouvelle Willis, que quelques amis.

Nous mourrons donc.

En attendant, nous souffrons de la « tôle ondulée ». Il s'agit d'une déformation de la piste qui, par endroits, et pour une raison inconnue (de nous), se durcit en minuscules vaguelettes.

Rouler dessus est un supplice. La voiture tremble, la carrosserie gémit, on est secoués à un rythme épuisant.

Sans compter qu'il est toujours à craindre que les pneus crèvent sur des éclats de pierre, comme c'est le cas de cette vieille Ford que nous doublons et dont le propriétaire est resté deux jours en panne, à faire des bandages autour de ses roues.

Nous nous arrêtons.

— Besoin de rien ? demandons-nous.

— Non, merci. Le convoi de sauvetage va arriver dans la journée, et des touristes sont déjà passés qui m'ont donné des boîtes de sardines. Je n'en avais plus. (Ah ! comment donc s'appelle ce bienfaiteur de l'humanité qui inventa les sardines à l'huile et en boîte ?)

Nous arrivons au gorges d'*Arak* à la nuit, et dépassons, sans le voir, le poste militaire caché derrière des roseaux au pied de hautes falaises.

Nous revenons en arrière.

Y vivent un sous-officier et un radio, seuls huit mois par an, entre une famille d'indigènes et les chacals que nous entendons hurler en haut des montagnes.

Nous les surprenons (les représentants de l'armée française, pas les chacals) attablés devant un riz au lait de leur confection.

Le sous-off (un adjudant, à mon avis) porte de bonnes grosses charentaises à carreaux marron. Décidément, je commence à croire que c'est la mode par ici, à moins, tout simplement, que la maison qui les fabrique n'ait lancé sur l'Afrique son meilleur représentant !

— Ah, vous voilà ! s'exclament avec gentillesse les militaires.

Le radio pointe son index dans ma direction :

— C'est vous, Victoria ?

et dans celle d'Inès :

— Et Biche, c'est elle, alors ?

173

Vous les regardez, toutes les deux stupéfaites.

— Comment connaissez-vous nos prénoms ?

— Euh... vous savez..., fait le radio, un peu gêné, notre seule distraction, ici, c'est de bavarder avec les radios des autres postes. Alors, quand une voiture « descend », ils nous la décrivent avec les noms des passagers... et surtout des passagères !

Je m'exclame avec un grand sourire :

— Mais c'est adorable ! Et vous dites quoi ?

Le radio rougit de la racine des cheveux aux talons, et s'enfuit à la cuisine... Nous ne saurons jamais ce que ces petits coquins se sont raconté sur nous.

Nous nous lavons au puits. L'eau est glacée, mais, après la fatigue et le vent de sable, exaltante.

Le lendemain, nous partons à regret, submergés de recommandations par nos militaires :

— Attention ! Il n'y a pas très longtemps, et pas loin d'ici, trois personnes se sont perdues... et sont mortes de soif. On ne les a jamais retrouvées... Et papati... et patata...

Vers le soir, nous rencontrons notre premier Targui (attention : on dit : UN Targui (au singulier), mais DES Touareg (au pluriel et sans « s »). J'avoue avoir eu beaucoup de mal à ne pas dire systématiquement : un Touareg. J'ignore pourquoi (mais je ne suis pas la seule).

Entièrement voilé de bleu, il nous adresse, du haut de son méhari*, un large geste de la main qui, dans la « gestologie » courante, signifie : « On ne passe pas. »

_____

* Chameau d'Arabie à une bosse : dromadaire !

174

— Qu'est-ce qu'il veut, ce mec ? interroge Sébastien-Marie qui, inquiet, ralentit.

Je crie :

— Arrêtons-nous !... Sébastien, arrête-toi ! Je veux le prendre en photo : c'est mon premier Targui !

— Hum..., fait Olivier, inquiet, on ne sait pas quelles sont ses intentions. Peut-être hostiles...

Tout en fouillant partout dans la voiture pour trouver mon appareil photo qui, naturellement, a disparu au moment où j'en avais besoin, je réponds que je fais confiance à la pacification française (eh oui ! j'ai dit cela, un jour, moi...).

Je retrouve mon Kodak (j'étais assise dessus), et je parviens en me tortillant à sortir de la Willis.

Olivier qui, lui, ne croit visiblement pas à la pacification française, attrape son fusil et me suit.

Pendant ce temps, le Targui, lassé de nous regarder nous agiter comme des poissons rouges effrayés dans un bocal trop petit, s'en est allé vers l'horizon.

Je prends quand même une photo pour inaugurer mon album de voyage : « Cul de chameau avec Targui ».

— On devrait déjà être à Tamanrasset depuis longtemps ! affirme brusquement Alexandre d'une voix sinistre.

Sous-entendu : nous sommes perdus.

— Il y a un quart d'heure que je me pose la question, déclare sombrement Olivier.

Biche, qui sommeillait paisiblement, la tête contre la portière, sursaute :

— Hein ?... Quoi ?... Nous nous sommes trompés de piste ?

Mais non ! Voici, enfin, plein de lumières, *Taman-*

rasset (si vous voulez faire croire que vous y êtes allé, dites avec désinvolture : « *Tam* »).

Tam est la patrie des hommes bleus (je rappelle : on dit : « un Targui... des Touareg... »).

Toujours drapés et voilés de bleu (à tel point que celui-ci déteint sur leur peau), ils promènent à travers l'oasis leurs aristocratiques silhouettes, parfois frileusement enveloppées de couvertures blanches aux motifs soudanais. Beaucoup sont très grands, et d'une réelle beauté.

Ces hommes du désert sont des silencieux, eux aussi. Réunis autour d'un thé vert aux trois verres rituels, ils restent des heures sans parler, traçant distraitement des signes dans le sable.

Les femmes (dévoilées) jouissent d'une large autorité. Ce sont elles qui transmettent héréditairement le pouvoir. Ainsi, la tribu est sûre que les enfants ont hérité du sang noble maternel. Les Touareg, comme on le voit, n'ont guère d'illusions sur la fidélité de leurs épouses.

Tous les travaux sont accomplis par des esclaves noirs que les Touareg allaient autrefois eux aussi acheter, ou enlever, sur les marchés du Sud. S'il ne leur est plus possible désormais d'agir ainsi, ils ont obtenu, au moment de leur reddition à la France, de conserver leurs propres esclaves et les descendants de ceux-ci.

Tam nous déçoit au premier abord. Morne et rouge sous ses tamaris bas, dans une grande plaine cernée par de lointaines montagnes.

La vie européenne se concentre entre l'hôtel – dont la patronne terrorise, paraît-il, la région – et l'Annexe militaire du Hoggar où un méhariste vérifie nos papiers.

— Ah, on en voit passer de drôles de gens ! dit-il en hochant sa superbe barbe noire. Il y en a qu'il faut parfois rattraper sur la piste, avec une simple bouteille d'eau sous le bras. Pensez !... Quatre cents kilomètres de désert à pied, avec un litre d'eau ! Ces touristes, quels fous !... Oh, pardon ! (Il est consterné de nous avoir peut-être blessés dans notre honneur de touristes.) Naturellement, je ne parle pas pour vous ! Mais, vous comprenez, il n'y a pas très longtemps, et pas loin d'ici, trois personnes se sont perdues... etc.

Puis il découvre que ni Biche ni Olivier ne sont vaccinés contre la fièvre jaune, et convoque le médecin militaire séance tenante. Notre prochaine étape, demain, se trouve en effet en Afrique occidentale où un vaccin contre la fièvre jaune est obligatoire.

Nous attendons le docteur, allongés paresseusement sur des chaises longues, installés avec des coussins devant l'Annexe militaire du Hoggar. C'est la seule fois de ma vie où je verrai un bâtiment de l'Armée décoré d'une façon aussi charmante, avec des bouquets de fleurs sur les tables basses (je ne suis pas sûre que mon commandant de père apprécierait !...).

Mais qu'est-ce que je vois de l'autre côté de la rue ? Ce n'est pas possible !... Si !... Non !... Si... mais incroyable !

Les yeux me sortent de la tête.

— T'as vu quoi ? me chuchote Alexandre qui me surveillait sans que je m'en aperçoive.

— Le couple enlacé, en face !

177

— Eh bien, dis donc ! Ils s'aiment ! Ou plutôt, c'est elle qui en est folle. Elle le serre si fort qu'elle va le broyer ! Tu la connais ?

— Oui ! C'est S. de B. Elle était prof de philo au lycée Molière à Paris où j'ai passé mon bac.

— Et lui, qui c'est ?

— Sais pas... La rumeur courait, à Molière, qu'elle était très amoureuse d'un Américain.

— Mais ce n'est pas S. de B., là-bas ? interroge tout à coup Biche à voix haute. Dites donc, la pudeur, c'est pas son truc !

Je prends la défense des amoureux.

— Non, mais chut ! Les pauvres, ils ont traversé tout le désert pour être tranquilles... Foutons-leur la paix !

— Moi, c'est S. que je plains, remarque Biche.

— T'inquiète pas, il en fait sûrement autant... alors qu'il est si laid !...

— Ce n'est pas parce qu'un homme est laid qu'il n'est pas séduisant, s'entête Inès.

— C'est pour moi que tu dis ça ? interroge son mari.

Heureusement, l'arrivée du médecin militaire, suivi d'un infirmier, arrête cette conversation qui risquait de s'envenimer.

Il vaccine Inès et Olivier, refuse d'être payé (Olivier remarquera au dîner que c'est la seule fois de sa vie qu'il est soigné – et son chien aussi – gratuitement par un toubib ou un véto. Vive l'armée !).

On nous apporte un grand plateau avec une gigantesque théière contenant du thé vert, et portant les dix-huit verres (je rappelle qu'un thé vert se boit dans trois verres rituels *).

Nous l'avalons avec délices tout en bavardant avec l'Esculape de Tam qui nous raconte les derniers potins.

Il ne nous ménage pas ses conseils : aller faire un pèlerinage à l'ermitage du père de Foucauld, en plein cœur de l'oasis. Puis la minuscule chapelle où il priait, le puits où il puisait de l'eau, l'endroit où il fut assassiné... Ne pas oublier de visiter également l'ermitage d'été – toujours du père de Foucauld –, isolé dans un grandiose panorama de montagnes et dominant leurs cimes orgueilleuses et lisses. Par contre, inutile d'aller à la piscine. Mais oui ! il y a une piscine à *Tamanrasset*. L'ennui est qu'on ne change l'eau qu'une fois par an. Si on manque ce jour-là, la présence d'une épaisse couche de feuilles pourries et de détritus divers vous fait fuir.

Il y a aussi un vrai guide pour touristes à Tam. Un amusant jeune homme qui a l'art des détails pittoresques. Un jour, une Américaine du Minnesota lui demanda, on ne sait pourquoi :

— Comment prévint-on Marie-Antoinette de la prise de la Bastille ?

— Euh... par téléphone, naturellement ! répondit Guarantos qui, bien sûr, n'en savait rien.

— Quoi ?..., s'exclama la dame américaine très

---

* D'accord, je crois l'avoir déjà dit. Pardon de me répéter mais « je vieillis », comme me l'a un jour écrit avec humour mon cher maître, René de O. ! Je n'ai pas compris s'il parlait de lui ou de moi ! Des deux probablement.

surprise. On ne m'a jamais dit qu'ils avaient le téléphone, en Europe !

Le médecin militaire regarde sa montre et se lève

— Il faut que j'aille faire la tournée de mes
malades. J'ai été très heureux de vous connaître.

— Nous aussi ! disons-nous en chœur.

— Ah ! un dernier détail pour les hommes de
votre petit groupe : il y a un campement de Touareg
à une vingtaine de kilomètres d'ici. Le chef est très
gentil. Il vous proposera sûrement d'échanger deux
chameaux contre une de vos femmes.

— Non ? s'exclama le méhariste barbu qui surgis-
sait avec ses papiers et n'avait entendu que la fin de
la phrase. C'est un farceur, votre chef ! Parce que ici,
ce serait plutôt deux femmes pour un chameau...

A notre retour à l'hôtel, nous trouvons une agita-
tion folle.

L'Américaine est arrivée. On chuchote que c'est
une espionne. La radio aurait signalé qu'elle devait
être renvoyée im-mé-dia-te-ment vers le nord.

Apparaît un ménage d'Autrichiens. Des espions,
aussi ? Le mari est écrivain, la femme porte une
culotte de peau lacée sur le côté.

Maintenant, un groupe de mâles allemands, gras
et rougeauds. Ils ont dû transporter de la bière à la
place de l'eau...

Le conducteur de la vieille Ford finit de réparer sa
voiture dans le parc à autos.

Alexandre va lui donner un coup de main, apprend
que c'est un chasseur, un vrai, qui rejoint sa brousse
et ses chiens. Il conte mille histoires de gibier à
Alexandre dont les yeux brillent comme ceux d'un
enfant écoutant pour la première fois *Le Petit*

Chaperon rouge. Le chasseur, ravi de son succès, fait également découvrir à mon compagnon de voyage l'anisette locale... Je suis moins enthousiaste. Et décide de le surveiller à mon tour.

La patronne de l'hôtel agite une clochette pour que l'on nous apporte un énorme couscous dont l'exquise odeur se répand dans tout l'hôtel et même l'oasis.

Pour épater mes amis et tous les touristes présents, je déclare que je vais manger mon couscous à la marocaine. Je plonge ma main droite dans le plat contenant la semoule que je secoue vigoureusement pour en faire une boule bien ronde et solide. Et d'un coup de pouce, je l'envoie (la boule de couscous) dans ma bouche grande ouverte. Jusqu'au fond de ma gorge. Hélas, aujourd'hui cela ne marche pas. Le couscous s'étale sur tout mon visage. Mes admirateurs éclatent de rire. Je ne recommencerai jamais !

La patronne me tend une serviette pour nettoyer ma figure.

Ma maladresse l'a beaucoup amusée.

Je ne reviendrai plus dans cette région où je me suis ridiculisée !

Près de moi, côté oreille droite, un Américain s'est assis.

Guarantos (qui s'est institué mon guide et ma commère) me chuchote, côté oreille gauche, que c'est un ancien danseur de Hollywood désormais absorbé par l'étude des astres.

Biche a entendu. Me supplie de changer de place avec elle, afin qu'elle puisse discuter horoscopes lunaires et solaires avec le devin hollywoodien.

La discussion devient tellement passionnée entre

eux que je me demande si mon amie ne va pas quitter son jeune mari pour s'installer à *Tamanrasset* avec son mage. On a vu des choses plus incroyables...

Par exemple, je m'aperçois qu'Alexandre en est à la fin de sa deuxième bouteille d'anisette. Profitant d'un moment où il manque s'endormir, je m'en empare (de la bouteille) et la cache derrière un coussin.

Mon copain préféré ouvre alors les yeux et réclame d'une voix éraillée sa chère anisette.

— Quelle anisette ? Il n'y a pas d'anisette, ici ! reprend Sébastien-Marie, qui a compris ma petite manœuvre.

— Mais si... je viens de boire... euh... une ou deux... bout... bouteilles... de... de...

— Tu rêves ! Tu ferais mieux d'aller dormir parce qu'on part demain matin très tôt. Si tu veux vraiment chasser un jour au Tchad.

— Chasser... au Tchad..., répète Alexandre, complètement soûl. (C'est la première fois que vous le voyez boire.)

Ses copains le montent, titubant, dans l'escalier. Et le jettent sur son lit.

Quelques heures plus tard, avant le lever du soleil, notre petit groupe quitte Tam et ses touristes. Adieu !

La piste que nous empruntons vers le sud est peu fréquentée et très sablonneuse.

Quelques kilomètres plus loin, toc, la Willis s'ensable. Il fallait bien que cela nous arrive au moins une fois !

Tout le monde descend, sauf Alexandre qui n'a pas

encore complètement dessoûlé, et Sébastien-Marie qui reste au volant pour diriger la manœuvre.

Biche, Olivier et moi nous sortons les pelles et creusons le sable avec une énergie de naufragés. Olivier attrape les deux coussins que j'ai achetés à Tam et que je considère comme d'adorables souvenirs, et les glisse devant les pneus avant. Je rouspète. Pourquoi donc avons-nous transporté, pendant des milliers de kilomètres, des grillages spécialement pour dessablement, si c'est pour abîmer mes jolis coussins ? Mais les autres s'en foutent. Personne n'écoute.

On crie. On pousse. Sébastien-Marie met en action un craboteur... un réducteur... enfin, un je ne sais quoi. La voiture démarre dans un vrombissement, nous couvrant tous les trois de sable. Que je recrache.

C'est le moment que choisit Alexandre pour se réveiller.

Et ricaner bêtement. On l'insulte.

Heureusement la Willis repart.

Nous roulons tout le reste de la journée en silence ou presque.

Seuls bruits : encore le ronflement d'Alexandre qui s'est rendormi, et une phrase d'Olivier, jambes étendues à l'avant, mains croisées sur son petit ventre, image de la béatitude :

— Mes enfants, quel paradis, le désert ! Quand il est... désert !

Nous hochons tous la tête avec approbation (sauf, bien sûr, notre ronfleur).

Puis un cri :

— Là-bas !... des autruches !

183

Nous saisissons nos jumelles. Non. Ce sont de simples cigognes qui ne daignent même pas s'envoler.

Maintenant, une borne nous indique que nous entrons en AOF. Nous sommes à la frontière du Niger (français). Nous décidons (après un vote unanime) de réveiller Alexandre pour qu'il prenne la photo de famille. Il grogne un peu, mais cède. Tout en remarquant qu'il manquera sur le cliché, ce qui fera beaucoup de peine à sa maman !

A ce moment-là, passe une file de Touareg conduisant une caravane de méharis qui, eux, transportent des barres de sel gris.

Le chef targui vient nous dire bonjour, suivi par son esclave noir qui porte son épée : le Targui est trop noble pour la porter lui-même.

— Et si on lui demandait à lui de prendre la photo ? dit Alexandre, qui tient finalement beaucoup à être au milieu de notre petit groupe.

— Tu parles ! Il ne sait même pas ce que c'est qu'un Kodak ! remarque Olivier.

— Mais si ! Mais si ! répond paisiblement et en excellent français le chef targui.

Nous restons tous stupéfaits, la bouche ouverte.

Le Targui sourit, malicieux.

— J'ai fait mes études dans une petite école du Sud algérien, avec une jeune institutrice française, Mademoiselle G., qui m'a aussi appris la photo *. Mais mon père est décédé, et j'ai dû reprendre

---

* « Et qui deviendra un jour ma troisième belle-mère. Si ! Si ! Peut-être le raconterai-je dans un prochain livre si je ne suis pas morte avant... » Signé par l'auteur : Nicole de Buron !

184

l'exploitation des salines. Cela ne m'empêche pas de photographier les touristes que je rencontre et qui me le demandent. J'adore cela !

Grâce à lui, nous rentrâmes à Paris avec de merveilleuses images, bien meilleures que les nôtres.

Pour l'instant, nous le remerciâmes du fond du cœur. Biche lui donna une deuxième boîte de chocolats, de celles qu'elle avait emportées en cas d'occasion particulière. Il ne pouvait en effet y avoir de plus joli moment pour en croquer le maximum à la fois !

Nous nous séparâmes tristement.

A l'horizon, les mirages succédaient aux mirages.

Des villes, des paysages, se faisaient et se défaisaient devant nos yeux fatigués par le soleil.

Devant nous, miroitait sans cesse de l'eau qui n'existait pas. Nous roulions sur une grève sans fin, vers une mer qui se dérobait toujours. Les moindres touffes d'herbe devenaient des roseaux tremblant dans un étang, et les mottes de terrain, de petites îles méditerranéennes...

Au moment où nous nous transformions à nouveau en poètes, un grand Noir jaillit d'un minuscule village de roseaux tapi près d'une mare, et nous supplia de rester. Il ajouta, pour nous rassurer, qu'il était docteur français et qu'il allait nous soigner.

Nous nous enfuyons, mais sommes arrêtés... par la douane, une fois de plus ! L'Administration française est là. Toujours veillant sur ses enfants.

Nous venons de passer du Territoire militaire du Hoggar au Territoire militaire du Niger.

Notre douanier n'est pas content. Il n'aime pas les

185

touristes. Il a raison. Nous lui expliquons que nous non plus. Mais il faut remplir à nouveau des formulaires pour chacun de nous.

— Nom, prénom, ceux de vos parents et de vos grands-parents, votre âge ? Votre sexe. Où allez-vous ? D'où venez-vous ? etc.

Nous savons. Mais, hélas, un nouveau problème se présente.

Inès et Olivier n'ont pas de caution.

— Comment ça, quelle caution ?... On ne vous a pas demandé de caution à la frontière algérienne ?... Ces douaniers-là, ils ne foutent jamais rien. Mais, moi, je travaille ! Et je ne peux pas vous laisser passer si vous ne savez pas où vous allez !... Hein ? Il y en a un qui va au Tchad ? Une autre (c'est moi) qui va au Nigeria anglais ? Et les autres, ils s'en fichent de ne pas savoir où ils vont ! C'est pas sérieux...

Mais il nous laisse passer quand même, après que je lui eus glissé dans l'oreille que mon père, brillant officier, était (ou avait été) commandant de l'armée française au Soudan (juste à côté).

— Il fallait me le dire plus tôt ! me reproche-t-il. J'allais tous vous mettre au cachot. Oh ! là là ! votre papa n'aurait pas été content. Je pouvais être fusillé !

Nous partons comme des fous.

Jurant de ne plus nous arrêter avant *Kano* (au Nigeria britannique (sûrement une nouvelle frontière à franchir)... où je dois prendre l'avion pour Paris.

Nous traversons à toute allure *Agadès* et son marché pittoresque, avec des fillettes qui (toujours d'après le Guide S. que je lis à voix haute à mes compagnons) sont fardées de poudre blanche avec deux ronds rouge vif aux pommettes.

Dommage de ne pas voir cela, mais nous n'avons vraiment pas le temps de nous arrêter.

Non, vraiment pas le temps non plus de grimper sur la tour (d'Agadès), une construction en forme d'obélisque en chocolat hérissée de pieux, comme les « hérissons aux amandes », dessert préféré de ma grand-mère.

Maintenant, c'est *Zinder* que nous franchissons, pied au plancher.

Le temps d'apercevoir une banque, la première que nous voyons depuis l'Algérie (que fait-elle là, cette banque ? Peut-être est-ce elle qui prête l'argent aux touristes après avoir organisé cette histoire de caution dont personne ne nous a parlé depuis notre départ !).

Mageria : poste-frontière français.

Une adorable maisonnette entourée d'un jardin fleuri de cannas rouges. Un policier y vit, qui nous prévient que nous entrons dans un no man's land de trente kilomètres, où il vaut mieux rouler à gauche.

Nous comprenons brusquement que nous allons courir le pire des dangers africains. En effet, les camions anglais roulent à gauche, et les véhicules français à droite, pour des raisons de prestige que tout le monde connaît... Mais quand ils se croisent, les Anglais, soucieux de montrer leur bonne éducation, obliquent vers la droite, tandis que les conducteurs français – se sentant comme toujours vaguement en faute – se précipitent vers la gauche.

Nous évitons dix-sept accidents.

Douane Niger français / Nigeria britannique.

Nous sortons nos passeports. Le douanier anglais paraît surpris et les regarde à l'envers (il ne sait pas lire). Tiens ! Nous n'avons pas de papiers à remplir. *Good !*

Il nous invite cependant à passer, après nous avoir examinés de la tête aux pieds avec un sourire (pourquoi ? Il voudrait épouser Biche. Olivier refuse net !).

Est-ce une illusion ? Le paysage semble plus ordonné. Des massifs de fleurs sont disposés le long de la piste qui, ô surprise et volupté oubliée, fait place à une route goudronnée.

Nous nous attendons à voir de vrais cottages anglais aux gazons impeccables, ornés de roses british style ancien.

Et c'est *Kano.*

Mon premier souvenir de *Kano* est une odeur de pourriture (*sorry, ladies and gentlemen*). Puis des poteaux télégraphiques portant quantité de pancartes : « *Government* », « *Schools* »... « *Keep left* »... « *Keep smiling !* », ou carrément : « *Stop !* »

Mais je sens que mes chers compagnons et amis sont pressés de repartir, qui au Tchad, qui en Egypte, qui en Libye.

En cinq minutes je suis à l'hôtel de l'aéroport (luxueux comme toujours) où ils m'abandonnent, après une pluie de baisers, avec mon éternelle valise, mon sac, plus un immense couffin plein de paquets.

Ils m'ont néanmoins recommandée à un énorme Anglais du type gorille, mais un gorille rouge brique qui porterait des shorts longs comme une jupette. Ah ! ces shorts anglais, longs comme des jupettes...

je déteste ! Mais je ne fais aucune réflexion parce que le gorille anglais empoigne mes bagages qu'il porte avec aisance dans ma chambre, tout en m'invitant à dîner. Heureusement, il reste impassible, et même souriant, quand je refuse en lui expliquant que je suis épuisée par ce voyage de trois semaines – moins deux jours pour cause d'ensablement et deux jours pour raison de repos – enfin presque – parce que j'ai cinquante cartes postales à écrire...

Elles arriveront probablement quinze jours après moi, mais ma famille et mes amis ont l'habitude.

— Chez moi aussi, m'explique-t-il amicalement.

Dix-sept jours après mon départ, je monte la passerelle du retour (l'avion pour Paris : Air France ou British Airways ?).

Sur la dernière marche est assis Alexandre.

— Qu'est-ce que tu fais là ? bredouillez-vous. Je te croyais au Tchad.

— Non, je me suis aperçu que j'avais quelque chose de plus urgent à faire avant.

— Ah bon ! Quoi ?

— Te demander en mariage.

Quatre boulots
et deux demandes en mariage

14

C'est pas toujours facile
de trouver un éditeur...

Quand j'ai pénétré dans l'avion pour la France avec Alexandre qui me tenait par la main, la tête me tournait.

Pouvais-je avoir confiance dans sa déclaration, ou était-ce une de ces énormes blagues auxquelles il adorait se livrer ?

Je devais avoir l'air vraiment inquiète, car mon compagnon ressentit mon angoisse. Il m'entraîna m'asseoir près d'un hublot, seule avec lui.

— Non, ce n'est pas une plaisanterie, Victoria. Voilà deux ans que je suis amoureux de toi. Je t'aime depuis que je t'ai vue à la gare de Londres, comme une petite fille perdue. Mais toi ?... Je sais que je suis ton meilleur copain, mais m'aimes-tu ? Du reste, tu ne m'as pas répondu tout à l'heure, quand je t'ai demandé si tu voulais bien m'épouser.

— Oui... pardonne-moi. Mais tu sais que j'ai eu une vie dure... y compris en amour. Je devais me marier avec un garçon que j'aimais beaucoup. Et je crois que la réciproque était vraie. Mais, pendant que j'étais en Angleterre, il a fait un enfant à une fille... très charmante, et jolie du reste... Et ses parents l'ont obligé à l'épouser. Surtout qu'ils me trouvaient trop jeune et, pire encore, sans un sou, sans « espérances », et avec un caractère très indépendant. Depuis, je me méfie... des types. Et de leurs parents...

— Je comprends. Mais, tu sais, sous mon air un peu fou, je peux être très sérieux. Et là, avec toi, je suis très sérieux. Bon ! je serai franc : j'ai déjà été amoureux, mais c'est la première fois que je demande une fille en mariage ! J'ai beaucoup réfléchi. Je crois que nous pouvons être très heureux tous les deux.

— Ecoute, laisse-moi réfléchir, moi aussi. Disons un mois ou deux... Je sais que ce n'est pas très sympa de te répondre ça. Je t'aime aussi beaucoup, mais... j'ai besoin d'un peu de temps. Ce que je cherche chez un homme, c'est d'abord d'avoir confiance en lui. Avec la séparation incroyable de mes parents, le Vatican qui s'en est mêlé, le fait que je les ai à peine connus – surtout mon père –, ma mère qui s'est révélée complètement névrosée, mon beau-père qui ne m'a pas adressé la parole pendant cinq ans... et puis... mon premier grand amour qui, crac, en épouse une autre... je vais te faire un aveu : je m'étais juré de ne jamais me marier !

— Je comprends ! Mais, crois-moi, tu peux avoir confiance en moi. Et je vais commencer par faire ce que tu désires : te laisser tranquille pendant un mois ou deux... attendre sagement ta réponse. Et je commence tout de suite !

Alexandre m'embrassa la main, la reposa doucement sur mes genoux, tira de sa poche un petit livre sur le droit (tiens ! d'où le tenait-il ?), m'adressa un petit clin d'œil et se mit à lire, apparemment paisible.

Moi, je regardais en silence par le hublot le désert africain. Mais ce qui venait de se passer était plus important dans ma vie qu'un désert africain !

Je fouillai dans mon grand sac de paille, en tirai un bloc de papier à lettres et un Bic, et commençai à écrire.

Le voyage Kano-Paris dura de longues heures pendant lesquelles je n'arrêtai pas d'écrire.

De temps à autre, Alexandre se penchait et embrassait tendrement ma main. Je lui souriais.

Tout à coup, il n'y tint plus, et me chuchota :

— C'est pour moi, cette longue épître ?

— Pardonne-moi... mais non ! J'ai commencé un livre.

— Ah bon ! Tu vas te lancer dans la littérature ?

— Oui. Je n'ai pas pu continuer les Beaux-Arts pour des raisons financières, tandis qu'en littérature, il te suffit d'acheter un peu de papier et un stylo... et d'avoir un sujet, bien sûr.

— Et là, tu as quoi comme sujet ?

— Notre traversée du Sahara. Tout frais dans ma tête.

— Bravo ! Tu as un éditeur ?

— Non, mais j'ai un copain dont la tante est agent d'auteurs. Lui-même est un écrivain connu, et ils vont m'aider à trouver un bon éditeur.

— Bonne chance !

— Merci !

Vous échangez un petit bisou léger.

195

Puis vous vous replongez tous les deux, en silence, dans vos occupations respectives.

Je retrouvai à Paris l'appartement de ma grand-mère vide, et ma petite lingerie bien proprette où le ménage avait été fait (par qui ?). Personne. Cousins en vacances ?

Alexandre, qui avait monté mes bagages, regarda avec curiosité autour de lui. C'était la première fois qu'il entrait dans ma chambrette, mais je trouvais qu'un monsieur qui m'avait demandée en mariage le matin même avait le droit de pénétrer un peu dans mon intimité.

Et même de m'embrasser (deuxième petit bisou plus prolongé que le premier).

Après quoi, je le chassai.

Le lendemain, je pointai à 6 h 30 au *Vrai Chic parisien*, et trouvai mon patron tout ému de me voir arriver au jour et à l'heure prévus, et en bonne santé.

Il me serra de nouveau contre lui.

Ensuite je fus entraînée dans un tourbillon de choses à faire.

D'abord, un courrier monstre auquel je dus répondre en vitesse.

Après, j'eus une très longue conversation téléphonique avec ma chère Aliénor que je réussis à trouver dans un de ses châteaux. Je lui demandai conseil concernant la demande en mariage d'Alexandre. Elle m'assura que j'avais bien fait de prendre un temps de réflexion. Elle-même allait sauter dans un train, et venir à Paris déjeuner avec moi. Et peut-être prendre le café avec ce jeune homme.

Ensuite, elle ferait le tour des gens qu'elle connaissait pour obtenir des renseignements sur lui.

— Pas par les cuisinières ! m'exclamai-je, méfiante.

C'était un « truc », à l'époque, d'essayer d'obtenir des « tuyaux personnels » sur toute créature – mâle ou femelle – qui désirait entrer dans votre famille.

Par exemple, en interrogeant (habilement) les curés de la paroisse de l'Autre (ou en les faisant interroger par les curés de votre propre paroisse), par les amis, et même les domestiques (à condition qu'ils soient dans la famille depuis des années).

Les jugements qui revinrent sur Alexandre furent bons en général, bien que certains parents de ses copains se fussent plaints de son humour ravageur.

Aliénor, en se tordant de rire, m'apprit que la famille R. (celle d'Alexandre) avait également lancé des demandes de renseignements sur moi !

Tiens ! Tiens !

Je fus ensuite convoquée par le Président du *Vrai Chic parisien*.

Il me demanda si je me sentais capable de créer un service de vente de notre magazine à l'étranger. Je répondis oui en lui révélant que je déjeunais déjà avec les libraires du monde entier, et que je faisais le tour de l'Italie (notre meilleur client) tous les mois. Deux tâches qui embêtaient mon directeur, et que j'aimais, moi, beaucoup ! (Surtout le tour de l'Italie où je déjeunais souvent à la table d'hôte du meilleur restaurant local. J'appris ainsi l'italien. Hélas, les tables d'hôte n'existent plus !)

Le Président me proposa alors un essai d'un an pour créer ledit Service de Vente à l'Etranger. Je serais sous-chef de service – sans chef de service –, mais nommée chef de service et largement payée dans un an.

Je dis :

— Merci, monsieur le Président. A dans un an !

La nuit, le samedi et le dimanche, je continuais fiévreusement à écrire le récit de notre épopée saharienne.

Adieu, la danse ! Adieu, le Lorientais ! Adieu, le Tabou ! Adieu, même, le Robinson aux Champs-Elysées !

Un vendredi soir, sortant en courant du *Vrai Chic parisien*, je trouvai sur le trottoir d'en face non pas Alexandre, mais Sébastien-Marie.

— J'ai à te parler, dit-il, agité, avant que j'aie eu le temps d'ouvrir la bouche.

Il m'amena à toutes jambes boire un thé au petit café du coin.

Et, toujours sans me laisser reprendre ma respiration, me posa la question de confiance :

— Si je te le demandais, est-ce que tu m'épouserais ?

Oh ! là là ! Que se passait-il ?

Pourquoi ces demandes en mariage qui me tombaient, *paf ! paf !* sur la tête, justement au moment où j'étais tellement débordée de travail ?

De plus, je n'avais, ces derniers temps, ni embelli ni hérité, ni même minci (si, cinq cents grammes !)... Donc, aucune raison pour que toutes ces déclarations me dégringolent dessus.

A moins que ce soit à cause de la Lune... J'aurais

peut-être dû regarder mon horoscope ce matin, ou demander à Biche de le faire.

Que répondre au gentil Sébastien-Marie ? : « Désolée, mais je ne t'aime pas... », au risque de le voir éclater en sanglots. Il avait l'air tellement sensible, ce garçon-là !

Et puis, au fur et à mesure que les jours passaient, il me semblait que je m'attachais de plus en plus à Alexandre.

Je décidai de mentir (je me confesserais un samedi proche).

— Tu sais, dis-je d'une voix la plus affectueuse possible, il faut que tu me laisses réfléchir. Un mois ou deux... D'autre part, je serai franche (en mentant quand même un petit peu...) : je n'ai pas tellement envie de me marier !

Sébastien-Marie eut l'air surpris.

— C'est curieux ! Je croyais que toutes les filles avaient envie de se marier...

Je ris.

— Tu retardes ! Maintenant, on ne se marie plus. On concubine ! Bon, je te quitte, je dois finir mon livre ce soir.

Je lui déposai un petit bisou amical sur le front et m'enfuis.

Parce que, quand je disais que je devais finir mon livre le soir même, là, je ne mentais pas. La tante de mon copain/écrivain, Michel B., m'avait obtenu un rendez-vous avec A.G., un éditeur célèbre, président d'une maison d'édition connue (les éditions Picassou).

Le lendemain, à 17 h 30 pile, une secrétaire me fit

entrer dans le bureau d'A.G. Qui se leva en souriant et vint me serrer la main.

Bel homme, à l'air sympathique.

Je lui tendis timidement mon « œuvre ». Il feuilleta quelques pages, parcourut – avec intérêt, me sembla-t-il – la première et la dernière, reposa le livre sur son bureau, et dit aimablement :

— Bien. Je vais lire pendant le week-end le brillant récit de cette expédition au Sahara ! Et je vous tiens au courant, disons... dans une dizaine de jours. Vous avez noté quelque part votre adresse et votre numéro de téléphone ?

— Oui. Sur la première page.

— Parfait ! Et qu'est-ce que vous faites d'autre dans la vie que vous balader dans le désert ?

— Je suis assistante bilingue (français-anglais) du directeur commercial du *Vrai Chic parisien*. Et, également, inspectrice du Syndicat national des éditeurs-exportateurs de journaux français, déclarai-je avec une certaine emphase qui ne laissait pas deviner que nous n'étions que deux dans ce fameux syndicat... assez ignoré !

Le patron, un Russe blanc au petit ventre rondelet, n'avait qu'une passion : obtenir une décoration – même inconnue – de tous les pays que je « visitais ». Et moi, en seconde et dernière position, l'« inspectrice » (qui allais au Cap en ignorant ce que c'était que l'apartheid... Ou me trompais d'avion entre Nicosie et Le Caire et manquais de me retrouver dans le harem d'un des fils de l'émir du Qatar... etc.), je courais joyeusement d'un pays l'autre.

— Eh bien ! Et, en plus, vous écrivez des livres ! Vous êtes très occupée, dites-moi.

— J'adore travailler ! déclamai-je avec exaltation. (C'était, c'est toujours vrai.)

L'éditeur me regarda avec une certaine surprise.

— Bravo ! Et quel est votre auteur préféré, dont vous vous êtes peut-être inspirée pour votre bouquin ?

— Jerome K. Jerome dans *Trois hommes dans un bateau*.

— Oh, très bien ! Nous allons donc rire ! A dans dix jours !...

Les dix jours passèrent. Puis quinze. Puis trois semaines. Puis un mois et demi...

Je décidai de téléphoner à A.G. aux éditions Picassou.

On me passa plusieurs secrétaires. La dernière me répondit sèchement que « mon éditeur » n'avait pas encore eu le temps de lire « mon livre », et qu'on me rappellerait plus tard. Je traduisis par : « jamais ».

Et PAN sur la gueule !

J'appelai Mademoiselle Guerrier (la tante de Michel) et lui racontai mon échec.

— Quel enfant de salaud ! s'exclama-t-elle. Mais il va nous le payer cher ! J'espère que vous n'avez rien signé ?

— Signé quoi ?

— Un contrat.

— Oh non ! Je vous aurais demandé conseil avant !

— Parfait. Vous montez dans un taxi, vous passez chez moi prendre un exemplaire de votre manuscrit – il m'en reste – et vous allez le déposer chez un autre éditeur : Pierre Horay, au 22 *bis*, passage Dauphine.

201

Il a une collection qui s'appelle « Pschitt »... je crois... Je préviens Pierre tout de suite.

— Vous croyez vraiment que ça vaut la peine ? balbutiai-je d'une voix lamentable.

— Allons ! Allons ! Pas de découragement. Surtout dans le monde de l'édition !...

Je fis ce que cette charmante vieille demoiselle m'avait ordonné.

Le dimanche suivant, à 8 h 30 du matin, mon téléphone sonna. Je décrochai, surprise : peu de Parisiens se réveillent si tôt, surtout un dimanche ! Ce devait être une erreur. Je grommelai :

— Ouin ?...

— Ici, Pierre Horay, l'éditeur. J'ai lu votre livre cette nuit. J'ai ri. J'ai aimé. Si je tombe d'accord pour le contrat avec Mademoiselle Guerrier (toujours le fameux contrat), je vous édite.

Je restai saisie, la bouche ouverte, les grandes dents Buron en avant.

— Allô... Allô ? fit mon futur (?) éditeur. Vous êtes toujours là ?

— Oui ! Oui ! dis-je précipitamment. Merci ! Merci !

— Bien. Je vous propose de déjeuner ensemble mardi prochain avec le directeur de la collection « Pschitt », René de O. Parce qu'un premier livre, cela se réécrit. Vous verrez, René est un homme merveilleux ! Mais vous allez beaucoup souffrir avec lui !

— Ça oui ! m'assura gaiement René de O. le mardi suivant. J'adore faire retravailler inlassablement mes auteurs.

Nous étions chez Lipp – où, naturellement, je

n'avais encore jamais mis les pieds – et j'avoue avoir été assez fière de moi !

Je le fus moins quand je dus réécrire trois fois mon modeste bouquin.

René de O. (futur académicien) me reprochait d'abuser des points d'exclamation, des points de suspension, des points de ponctuation, des points d'interrogation, des petits points, des points d'appoint, etc., qu'il qualifiait d'accessoires inutiles.

Mes phrases étaient trop longues : on ne savait plus à la fin quel était le sujet.

Il pleuvait dans chaque page des répétitions que le Maître baptisait « rabâchage », « radotage », et même « psittacisme ».

Je courus acheter un gros dictionnaire pour savoir ce que voulait dire « psittacisme ». Je lus : « Fait de répéter comme un perroquet, fréquent chez les débiles mentaux. » Allons bon !

Malgré cela, le livre parut dans la collection « Pschitt » sous le titre (pas très bon, je le reconnais) de *Drôle de Sahara*.

Les éditions Pierre Horay en vendirent UN exemplaire la première semaine (probablement acheté par une vieille tante de Michel).

Mon éditeur, effondré, ne trouva pas non plus un seul libraire à Paris pour m'inviter à faire une signature * dans sa boutique.

Il décida alors de m'envoyer à Lyon, dans une librairie amie, où je restai seule presque tout un après-midi, assise sur une chaise devant une pile de

---

* Dédicacer ses livres.

mes livres et un verre d'eau sur une petite table, sans voir une lectrice ou un lecteur intéressé.

Soudain, la porte de la librairie s'ouvrit et René de O. entra avec le sourire. Il comprit immédiatement mon drame, et vint m'embrasser sur la joue.

— Ce n'est pas grave. Toujours comme ça, au premier bouquin.

— En tout cas, c'est très gentil à vous de venir me consoler.

— Oh ! je vais à Saint-Tropez, et comme je passais par Lyon... je suis passé vous voir.

Mensonge élégant et affectueux.

Je n'ai jamais oublié.

Quelques jours plus tard, je ne sais quel journal sortit un article de deux pages sur mon Sahara, avec un énorme titre :

LES FEMMES AURAIENT-ELLES DE L'HUMOUR ?

Oui ! Oui ! Oui !

Quelques semaines plus tard, je fus invitée comme « auteur/humoriste » à un cocktail au fameux Procope (le plus ancien café littéraire de Paris).

J'achetai une robe élégante (en solde) et pris rendez-vous avec Pascal, un coiffeur de Maniatis qui me fit teindre en blonde.

La première personne que je heurtai en grimpant à toute vitesse le minuscule escalier en spirale du Procope... fut A.G., l'éditeur de Picassou. Il discutait violemment avec un grand type inconnu (je continuais à ne pas connaître grand monde dans l'ethnie littéraire).

A.G. se retourna. Me reconnut.

— Tiens ! La voilà enfin, cette petite garce ! s'exclama-t-il en me désignant.

— Moi ?..., dis-je, stupéfaite.

— Oui ! Vous ! Vous m'aviez promis un livre. Et vous l'avez donné à un autre éditeur !

— Mais je vous l'ai apporté en premier, et vous m'aviez assuré de me rappeler dix jours plus tard.

— Et alors ?

— C'est moi qui vous ai rappelé plusieurs fois pendant un mois et demi. Votre secrétaire m'a inlassablement répondu que vous étiez en réunion (vous vous apercevrez plus tard que les éditeurs sont toujours en réunion. Pire que les hommes politiques !), et que vous n'aviez pas eu le temps de lire mon livre, et que j'attende... Bref, vous n'avez pas voulu me parler.

A.G. devint tout rouge.

— Il fallait insister ! cria-t-il avec indignation.

Je devins rouge à mon tour. De colère (dans ces cas-là je ressemblais à mon papa, le colonel).

— Ce n'est pas dans mon caractère de supplier !

A.G. haussa les épaules et reprit sa montée d'escalier.

— Vous n'irez pas loin, pauvre petite conne ! ricana-t-il.

Bon. Un nouveau coup sur la gueule !

— M'en fous ! hurlai-je. Surtout avec des gens comme vous !

Le grand type avec qui mon ex-éditeur discutait

205

avant de m'insulter avait écouté notre engueulade avec amusement.

— Dites donc ! Vous avez un sacré caractère ! Eh bien, moi, je vais vous réconforter. J'ai lu votre livre. Vous me l'avez envoyé.

— Ah bon..., dis-je, stupéfaite. Désolée, je ne me rappelle pas...

— Oui. J'étais dans votre liste de presse. Je suis Marcel Haedrich, rédacteur en chef de *Marie Claire*. Et j'ai trouvé votre *Sahara* bien écrit et amusant.

— C'est René de O. qui me l'a fait refaire trois fois !

— Ah ! je comprends.... Est-ce que ça vous intéresserait d'écrire une chronique d'une page tous les mois dans mon journal ?

J'hésitai un tiers de seconde : où trouverais-je le temps de tout faire ? Bah, je me débrouillerais... J'écrirais dans... mon bain ! C'était une chance à ne pas laisser passer.

Je répondis avec enthousiasme :

— J'adorerais !

— Bon. Je vous attends jeudi prochain à 17 h 30 à mon bureau avec votre premier essai. Et je serai là, moi... Vous avez un sujet dans la tête ?

— Oui.

— Lequel ?

— « Fiançailles ».

— Vous croyez que cela existe encore ?

— Bien sûr ! Simplement les journalistes parisiens l'ignorent. Comme ils ignorent les trois quarts des choses qui se passent en province.

— Et vous ? Vous êtes fiancée ?

— Jeudi prochain, à 19 heures, après que je vous

aurai vu, l'amour de ma vie me présente à ses parents. Après... on verra !

— Ça va être une sacrée journée !

Le jeudi suivant, je sortis de l'immeuble de *Marie Claire* et *Paris Match* enchantée, Marcel Haedrich avait aimé mes « Fiançailles », et faisait paraître mon papier dans le prochain journal.

Alexandre m'attendait au grand café d'en face, bourré de journalistes.

Il se leva et nous nous jetâmes dans les bras l'un de l'autre. Et échangeâmes un baiser fou-fou-fou, qui dura si longtemps que les journalistes éclatèrent d'abord de rire, puis applaudirent. Des cris s'élevèrent :

— Allez-y, les enfants ! Encore ! Encore ! Ah, que c'est bon ! Y a des chambres dans l'hôtel d'en face !... Même les patrons y vont baiser avec leur secrétaire... Etc.

— On y va, nous aussi ? demanda Alexandre en récupérant son souffle.

— Tu sais bien que j'ai été élevée dans une famille où l'on se marie vierge. Et puis tes parents nous attendent, et j'ai horreur d'être en retard.

— T'as raison. On y va.

J'avais pris la décision d'épouser Alexandre dans une nuit précédente. Un coup de blues.

Marre d'être toute seule. Marre de ma petite « chambre/lingerie » de merde. Marre de n'être ni embrassée ni aimée. Marre de bouffer mal et d'avoir, pendant des années, regardé par la fenêtre la salle à manger d'en face où une nurse tout en bleu nourrissait de viande rouge un petit garçon : Régis D. Quand il fut mis en prison par les Boliviens (?) je décidai qu'il aurait faim à son tour... et je dansai de joie ! (Vilain, n'est-ce pas * ?)

Et puis, plus les jours passaient et, malgré mon travail dingue, plus je m'attachais à Alexandre. Il était gai, marrant. Il pouvait être affectueux. Il me téléphonait tous les matins à mon bureau, quand mon patron était parti chez Maï, pour savoir comment j'allais.

Il savait gueuler, mais moi aussi ! Je déteste les hommes faibles.

Et – peut-être le plus important, bien qu'on en parle peu – j'adorais son odeur. Elle me donnait des frissons.

Je l'avais réveillé un jour à 2 heures du matin (il avait un téléphone à côté de son lit) pour le lui dire.

— Alors c'est vrai ? On se marie ? avait-il demandé joyeusement.

— Quand tu veux.

— Formidable ! Mais j'ai un petit problème...

Le contraire m'eût étonnée. Je faillis raccrocher.

— ... Mes parents ! Ils me cassent les pieds pour te connaître d'urgence.

— C'est pas grave ! Allons-y demain ou après-demain !

L'appartement des R. était immense. Je n'en avais jamais vu de si grand.

Mais toute la tribu y était installée. Depuis le très vieux grand-père avec son infirmière (à demeure). Les parents d'Alexandre (leur chambre, un grand salon et une salle à manger, plus leur salle de bains

---

* Cher Régis D., je vous demande pardon ! Et merci d'avoir, sans le savoir, emmené ma petite-fille au cirque...

et une cuisine personnelle). Son frère aîné avec femme et enfants (chambres, salon et salle à manger, salle de bains et cuisine personnelle), ses deux sœurs avec leur mari (dont un Irlandais) également avec enfants, etc. Bref, c'était presque Versailles !

Un maître d'hôtel nous ouvrit la porte, et j'eus droit à être reçue dans le Grand Salon des Parents.

Sa mère m'embrassa affectueusement. Mais j'eus l'impression que son père était moins emballé (normal : il était agent de change et moi, malgré mes deux grands-pères banquiers, je n'avais pas un sou. Ah ! cette question d'argent dans ce petit monde de riches !). Par contre, ma particule (symbole d'une bonne éducation) me décorait comme une Légion d'honneur !

Je dus raconter ma vie : ... ils la connaissaient déjà.

— Est-ce que la Rote a annulé le mariage de vos parents ? demanda Madame R.

— Oui. Au bout de douze ans. Mon père est déjà remarié religieusement. Ma mère doit le faire incessamment (là, je m'avançais beaucoup... mais je comptais sur ma grand-mère qui harcelait sa fille pour qu'elle épouse à l'église son dernier amant, Yves le Marin. Ils étaient déjà passés devant le maire, mais cela – le mariage civil – ne comptait pas dans la famille).

Au bout d'une heure de bavardage (pardon, de conversation !), ma future belle-mère se leva et alla chercher une petite boîte sur une table. L'ouvrit. En sortit deux ravissantes bagues en diamant. Elle me les tendit :

— Celui-là, le plus gros, a l'air très beau, mais il y

209

a un crapaud * dedans... Le deuxième, les deux petits diamants côte à côte, sont plus purs, mais moins jolis à voir...

Je choisis, bien sûr... hum... le plus gros diamant. Ce qui fit rire Alexandre qui m'adressa un clin d'œil. Je rougis. Ma belle-famille allait-elle penser que j'étais une créature intéressée ?

— Mais non ! s'écria mon « fiancé » – qui avait décidément l'art de deviner mes pensées. Simplement il faut espérer qu'aucun joaillier ne viendra à notre mariage avec une loupe !

— Et où comptez-vous vous marier ? demanda froidement mon futur beau-père qui n'avait pas l'air d'avoir tellement d'humour.

— A la campagne, murmurai-je. J'adore la campagne.

— Votre famille a, je crois, une propriété dans la Sarthe ? demanda la mère d'Alexandre. La cérémonie se passe, en principe, dans la paroisse de la jeune fille.

Hélas ! le château de mes grands-parents que j'avais tant aimé, avec ses fermes alentour, avait été vendu. Trop cher à entretenir, avaient décidé oncles, tantes et, bien entendu, ma mère, toujours affamée d'argent pour ses médecins et ses cliniques psychiatriques. Aliénor fut chargée de cette mission. Elle ne trouva pas d'acheteur intéressant et finit par bazarder le tout à la propriétaire d'une blanchisserie située aux Batignolles, grâce à laquelle, elle (la blanchisseuse) avait gagné beaucoup d'argent (en lavant les draps de tous les bordels environnants ?).

---

* Défaut à l'intérieur d'une pierrerie.

A cette nouvelle, j'avais pleuré toutes les larmes de mon corps. Aliénor, effondrée, m'emmena en voiture jeter un dernier coup d'œil sur le lieu où j'avais été si heureuse, petite.

Elle éclata en sanglots à son tour. La blanchisseuse avait fait couper les magnifiques tilleuls de la grande allée, à l'entrée du parc, ainsi que les immenses catalpas qui entouraient la mare aux grenouilles. La roseraie avait disparu. Bref, une catastrophe.

Elle vivait seule (toujours la blanchisseuse : son « mac » était parti, il s'ennuyait à périr), avec une trentaine de chats qui répandaient une odeur pestilentielle. Elle se plaignait que les gens du village ne la saluaient pas, bien qu'elle tricotât des écharpes de laine, comme Grand-mère et moi, pour les vieux du mouroir qui, geignait-elle, la méprisaient !

Nous nous sauvâmes. Et ne revînmes jamais.

— Pourquoi ne pas nous marier dans le manoir de ta grand-mère basque ? interrogea Alexandre avec gentillesse. (Nous étions toujours chez les R. lors de ma première visite.)

— Non... Désolée... Ce n'est pas très commode ! marmonnez-vous.

Vous n'avouez pas qu'Amama *, qui avait presque cent ans – ce qui ne l'empêchait pas de sauter dans les trains seule et sans prévenir personne ! avec tous ses bijoux cousus dans l'ourlet de sa robe... –, haïssait votre mère (et réciproquement) qu'elle tint toute sa vie pour responsable du divorce de son fils bienaimé. (Ils adoraient se disputer tous les deux,

_____
* Amama : grand-mère, en basque.

Amama et mon colonel de père, hurlant et devenant violets.)

Elle vous détestait également puisque vous étiez la fille de votre mère !

Ah ! ce n'est pas une sinécure de fouiller dans les petites histoires familiales !

— Il ne reste que le mariage chez nous, dans notre propriété, rigola Alexandre. C'est Papa qui va être content ! Il adore recevoir.

Monsieur R. sourit d'un air pincé.

— Avez-vous un notaire ? vous demanda-t-il ex abrupto.

— Moi ? Non !

— Cela ne vous fait rien si je demande au mien d'établir le contrat de mariage ?

— Pas du tout !

Si j'avais su que c'était si compliqué de se marier, j'aurais proposé à Alexandre une liaison amoureuse, un concubinage secret. Bref, une vie ensemble, mais sans démarches ni paperasses. Du reste, il paraît que cela devient complètement à la mode. Maintenant on se paxe.

Je louchai sur ma montre. Me levai en m'excusant. Je devais rentrer d'urgence chez moi, pour commencer un nouveau livre réclamé instamment par René de O.

J'embrassai ma future belle-mère.

Elle me tira un peu à part et me chuchota :

— Vous êtes sûre que vous voulez épouser mon fils ? Parce qu'il n'est pas si facile qu'il en a l'air...

— Moi non plus, répondis-je en riant. Mais je crois qu'au fond on s'aime très fort.

Elle eut un sourire heureux.

212

Quinze jours plus tard, j'entrai dans le bureau de Marcel Haedrich avec mon deuxième papier (Titre : « Mariage ? Si, si, ça existe encore ! »).

Il corrigeait un article et me fit un léger signe de tête pour que je m'asseye sur une chaise en face de lui. Il termina son travail et, sans lever la tête, me tendit sa main ouverte où je déposai ma chronique.

Nous n'avions pas échangé un seul mot.

Je n'avais pas non plus dormi la nuit précédente.

Il se mit à lire ce que j'avais écrit, sourcils froncés, lèvres pincées, l'air très mécontent.

Mon estomac se tordit.

J'étais visiblement une nouille qui n'était plus à la hauteur. Mon rêve d'être chroniqueuse dans *Marie Claire* s'effondrait.

Marcel Haedrich me rendit mon texte en disant d'une voix sinistre :

— C'est très bien !

Puis il éclata de rire.

— Si vous aviez vu votre tête ! J'ai cru que vous alliez tomber de votre chaise !

Quel salaud !... Mais quel gentil salaud !

Ma chronique dura sept ans. Je n'arrivais pas, surtout au début, à m'habituer aux grimaces de mon rédacteur en chef. Mais le sang de mes ancêtres auvergnats, béarnais et basques m'avait rendue têtue.

En outre, je l'admirais, et j'avais même de l'affection pour lui. Bien qu'il ait placé mon article en page 2, la page numéro 1 étant réservée à Alexandre Vialatte qu'il considérait comme l'un des plus grands poètes et humoristes du siècle (moi aussi).

Mais les patrons de *Marie Claire* (et de *Paris Match*) ne pensaient pas comme lui (et moi).

A chaque sortie de numéro, ils engueulaient Marcel.

— Encore ce Vialatte auquel nos lectrices ne comprennent rien ? Pourquoi ne mettez-vous pas à sa place la petite rigolote de la page 2 ?

— Patron, répondait inlassablement Haedrich, vous vous trompez. Ce qui fera la gloire de *Marie Claire* dans des siècles ce sera d'avoir édité Vialatte, pas la petite Buron.

J'étais d'accord avec lui.

Petit à petit j'obtins :

1. De choisir moi-même le sujet de ma chronique, ce qui me faisait gagner deux heures de temps par mois (épatant ! j'étais toujours à dix minutes près !).

2. D'apporter directement mon papier à l'imprimerie le mardi matin ; gain de temps : encore deux heures ! Mais surtout cela évitait que l'imprimeur n'efface purement et simplement les deux dernières lignes si l'article était trop long. Or, les dernières lignes, dites la « chute », étaient très importantes, m'avait enseigné René de O...

3. De m'inviter à déjeuner au restaurant d'en face, avec le grand Vialatte que je désirais follement connaître.

— Vous allez vous ennuyer, ma petite fille ! refusait inlassablement mon rédacteur en chef.

— Impossible !

Un jour, lassé de mes supplications, Marcel nous emmena tous les deux déjeuner au petit bistrot du coin.

Où j'écoutai pendant tout le déjeuner, avec un

ennui profond, le grand Vialatte se plaindre de sa nouvelle femme de ménage qui ne savait ni laver ni repasser convenablement ses chemises.

Je sortis du bistrot effondrée.

— Cela vous apprendra à ne pas confondre un immense écrivain avec un pauvre homme qui a des problèmes de chemises !

— Mais alors, qui voir ?

— Personne !

C'est là que je décidai, dans mon for intérieur, de gagner assez de sous pour m'acheter une ferme abandonnée, où j'écrirais dans la plus grande solitude et le silence le plus total.

Pour l'instant, je courais d'un boulot l'autre.

• J'étais toujours « sous-chef de service » au *Vrai Chic parisien*.

• Je voyageais dans le monde entier pour le Syndicat national des éditeurs-exportateurs de journaux français.

• Je donnais une chronique supposée amusante tous les mois à *Marie-Claire*.

• J'écrivais lentement mais régulièrement des livres pour les éditions Horay, toujours corrigés par René de O.

• Et je ne sais plus quoi encore !

... c'est pas non plus toujours simple
de se marier !

Pendant ce temps-là, les préparatifs de mon mariage continuaient.

Ma mère sortit de son lit, loua un taxi et fila à toute allure épouser *religieusement* son troisième mari (ou quatrième ?...) à l'église Saint-Philippe-du-Roule.

Accompagnée de Grand-mère, appuyée sur sa canne mais folle de bonheur (enfin, toute sa famille était rentrée dans le giron de l'Eglise !).

J'étais là aussi (qui n'avais pas encore de canne), ainsi que Pilar, notre chère bonne espagnole, toute contente d'être invitée à un déjeuner – au restaurant – qu'elle n'aurait pas à préparer et ravie de se sentir de la famille.

Quelques jours plus tard je fus convoquée par mon futur beau-père pour signer le contrat de mariage chez son notaire.

J'y trouvai tous les mâles de la tribu R. (y compris, bien sûr, Alexandre qui me serra dans ses bras).

Moi, j'étais seule.

Ma mère était partie en « voyage de noces », m'avait-elle expliqué. Alors qu'elle vivait (et voyageait) avec mon nouveau beau-père depuis des années...

Mon colonel de père était toujours en Indochine. De toute façon, comme la plupart des officiers, il ne comprenait rien aux questions d'argent.

Aliénor refusa :

— Ah non ! J'ai déjà eu du mal à signer le mien ! Tu sais que je t'adore, mais retourner chez le notaire, ça, vraiment, je ne peux pas !

— Ne t'en fais pas, lui dis-je. Je me débrouillerai toute seule.

Pour comble, j'avais dû retarder de huit jours mon voyage à Tokyo où je devais préparer une exposition de journaux français. (J'y appris que lorsque les Japonais hochaient affirmativement la tête, cela voulait dire « non », et que les rues n'avaient ni nom ni numéros. Ce qui signifiait compter une heure de plus – en taxi – pour arriver pile à un rendez-vous.)

Mon futur beau-père (ne pas confondre avec les maris de ma mère) me regarda entrer chez le notaire avec morgue. Visiblement il ne m'adorait pas. Il se tourna vers son cher Maître.

— Vous avez préparé le contrat de mariage/communauté de biens de mon fils Alexandre ?

— Oui, monsieur.

Je levai mon index en l'air, comme une petite fille à l'école. Tout le monde se tourna vers moi, sauf Alexandre qui regarda le plafond d'un air inquiet, ce qui n'était pas son genre.

— Je préférerais un contrat/séparation de biens, dis-je, la voix un peu tremblante.

217

— Dans notre famille, qui est assez ancienne, nous avons toujours signé des contrats/communauté de biens, remarqua sèchement Monsieur R.

— Dans la mienne, qui remonte à Guillaume le Conquérant, dis-je froidement à mon tour, la tradition veut que nous signions des contrats/séparation de biens.

C'était, bien sûr, un énorme mensonge : je n'en savais strictement rien ! Et pensais même que les contrats de mariage (séparation de biens ou communauté) n'existaient pas du tout à l'époque de Hastings (1066).

Il y eut un lourd silence.

Le notaire se pencha vers moi et murmura d'une voix basse (que tout le monde entendit) :

— Ce serait pourtant votre intérêt, mademoiselle !

Il avait raison, ce salopard.

Alexandre recevait de ses parents une superbe dot : une belle voiture anglaise toute neuve et immense (pour transporter six enfants ?...), un appartement de cinq pièces à loyer fixe comprenant un grand bureau pour Alexandre (qui y recevrait ses clients lorsqu'il aurait terminé son stage d'avocat) et un deuxième petit bureau pour la secrétaire, une ravissante vaisselle (Boutique Dior) avec couverts en argent (mais sans armoiries familiales ! ah ! ah !...) et une grosse somme d'argent (au compte d'Alexandre).

Moi, j'apportais une paire de draps brodés (sans les taies) offerts par Amama, et deux petits fauteuils Louis-Philippe en velours rouge déchiré par les griffes des petits chats de Grand-mère (à recouvrir d'urgence).

Le notaire l'avait bien constaté (et fait constater sûrement à mon beau-père) : j'étais une jeune fille de bonne famille, d'accord, mais très, très fauchée, qui se mariait avec un jeune homme peut-être de bonne éducation bourgeoise, mais surtout très, très riche. (A noter qu'à l'époque de mon mariage, les femmes devaient demander à leur époux la *permission* d'ouvrir un compte. Eh oui ! Moi pas. Comme je travaillais depuis des années, j'avais un compte ouvert au nom de Buron.)

La remarque – du notaire – me mit en colère. Je criai d'une voix rageuse :

— *Justement !* Je n'épouse pas Alexandre pour son argent ! Je ne savais même pas qu'il en avait.

Je me levai pour m'en aller, et dis à mon « fiancé » :

— Désolée, mon vieux ! Et adieu !

Alexandre se leva à son tour avec une telle violence qu'il renversa sa chaise.

— Non ! Ne te sauve pas, je t'en supplie ! On va aller se marier à Las Vegas ! (Il se tourna vers son père :) Toi, tu es un vieux con ! Je ne veux plus jamais te revoir !

Monsieur R. resta saisi.

A ce moment-là la porte s'ouvrit.

Parut sur le seuil, à la stupeur générale, Sébastien-Marie. Il me hurla :

— Espèce de garce ! Tu m'avais promis de m'épouser, MOI !

— Jamais ! hurlai-je à mon tour. Je t'ai simplement dit que j'allais réfléchir. C'est ce que j'ai fait au retour à Paris, en revenant du Sahara, et j'ai choisi Alexandre !

— Tu ne connais pas le bonhomme ! Il va te tromper dès demain matin ! Et tu seras très malheureuse !

— Salaud ! Fumier ! Menteur ! hurla à son tour Alexandre qui se jeta sur Sébastien-Marie et tenta de l'étrangler.

L'autre se défendit à coups de pied.

La tribu des R. se leva en entier et se mit à crier :

— Arrêtez ! Vous êtes fous ! Mais qu'est-ce qui se passe ? Appelez les pompiers ! Non, les flics ! Non, le samu !

Le notaire (tremblant) désigna Sébastien-Marie à Alexandre :

— Comment ce monsieur sait-il que vous êtes là ?

Sébastien-Marie, montrant à son tour mon futur mari (enfin, peut-être ! s'il était toujours vivant...) :

— C'est ce connard qui m'a téléphoné ce matin pour se vanter !

Alexandre (fou furieux), gueulant de plus belle :

— Je ne me suis vanté de rien du tout ! Minable ! Je voulais simplement te dire que j'étais heureux !

Et il mordit sauvagement son ennemi à l'oreille gauche.

D'où un flot de sang jaillit.

Sébastien-Marie poussa des cris de douleur.

Les pompiers arrivèrent. Séparèrent les deux combattants. Les types du samu débarquèrent à leur tour et commencèrent à soigner l'oreille de Sébastien-Marie.

— Il lui manque le lobe de l'oreille gauche ! cria un infirmier.

On se mit tous à chercher par terre. On ne trouva rien.

— Il l'a avalé, ce salaud ! beugla mon amoureux numéro 2, désignant Alexandre.

— Venez, je vous ramène chez vous, me dit gentiment l'aîné de mes futurs beaux-frères. Ce n'est pas un spectacle qui vous convient !

Je le suivis après avoir embrassé mon valeureux guerrier.

— Ne t'inquiète pas ! me dit celui-ci, assez fier de lui. Je t'appelle chez toi quand ce bordel sera fini !

Mon (futur) beau-frère me poussa dans sa voiture et éclata de rire.

— Dites-moi, vous êtes une drôle de petite personne ! Je sens qu'on va enfin s'amuser dans notre famille jusque-là si austère !

— Je suis désolée, dis-je en reniflant.

Les chirurgiens de l'hôpital recousirent l'oreille du blessé. Mais on ne retrouva jamais le lobe de son oreille gauche.

Des années plus tard, ceux qui n'étaient pas au courant de la bagarre continuaient à demander la raison de ce manque à Sébastien-Marie qui répondait, avec un petit sourire amusé :

— J'ai vécu des amours tumultueuses dans ma jeunesse.

Les deux familles restèrent brouillées à vie.

Un autre incident éclata pendant mon voyage au Japon. Au sujet de l'annonce de notre mariage dans le carnet mondain du *Figaro*. Et de l'invitation à la cérémonie de certains invités.

Ma mère s'opposa farouchement à toute allusion à la deuxième femme de mon père. Ce dernier, prévenu par Pauline, téléphona de Saigon (à ma mère) pour lui dire qu'il refusait totalement que paraisse dans l'élégant *Figaro* le nom de son troisième (ou quatrième) mari à elle, ainsi que la présence de celui-ci à mon mariage.

Les R. furent terrorisés par la violence des discussions.

Alexandre suppliait qu'on attende mon retour de Tokyo pour décider.

Il vint me chercher à l'aéroport, et nous allâmes directement, tous les deux... au *Figaro*.

Mon fiancé sortit de sa poche un papier froissé où il avait noté :

> *Victoria de Buron*
> *et Alexandre R.*
> *sont heureux de vous faire part*
> *de leur mariage qui aura lieu dans l'intimité*
> *le 13 mai prochain.*

Je le félicitai.

— Au moins nos familles nous foutront la paix !

— Je n'en suis pas si sûr..., dit Alexandre.

Il avait raison.

Nous reçûmes, chacun de notre côté, une belle engueulade familiale.

Mon père débarqua du Vietnam pour quarante-huit heures, en grand uniforme, la poitrine couverte de décorations. Il exigea que ses cinq filles (ou six ?) et SON FILS soient présents à mon mariage.

Cette fois, c'est Pauline qui refusa.

— D'abord, ta première femme a eu l'impolitesse de ne pas m'inviter. Ensuite, et surtout, je n'ai pas du tout envie de la connaître ! Quant à mes enfants, ils resteront en Normandie avec moi. Ta fille aînée (moi) a choisi uniquement ses petits-neveux du côté de sa mère (y compris le premier bébé d'Aliénor qui hurla pendant toute la cérémonie à l'église) comme garçons et filles d'honneur.

Ma mère ne dit rien, mais j'entraperçus dans l'immense foule des invités la silhouette de mon troisième (ou quatrième) beau-père qui se dissimulait du mieux qu'il pouvait.

Ma grand-mère le vit aussi. Nous n'en parlâmes jamais.

La veille du grand jour, Papa loua une petite voiture (les officiers français gagnaient moins d'argent que les routiers). Il avait dormi chez ses beaux-parents (c'est-à-dire les parents de sa deuxième femme : je dus faire une note pour Alexandre qui se perdait dans tous ces ex). Mais avait embrassé affectueusement Grand-mère (soit son ex-belle-mère), laquelle lui avait rendu non moins affectueusement son bisou en disant d'une voix claire :

— Mon cher gendre, j'ai toujours eu beaucoup d'affection pour vous, et je vous la garde.

Ma mère fit une drôle de tête mais observa le silence et s'assit dans la « petite » voiture de mon père sans dire un mot.

Je me glissai sur la banquette arrière avec un grand carton posé sur les genoux, dans lequel était pliée ma robe de mariée en plumetis blanc, cousue par les religieuses de la maison de retraite de ma grand-mère, plus une couronne de fleurs d'oranger prêtée par je ne sais qui.

Mon père et ma mère ne s'étaient pas vus depuis vingt ans. Ils n'échangèrent pas une parole ni ne s'adressèrent à moi pendant pratiquement tout le trajet.

La propriété des R. se trouvait à quelques kilomètres de Honfleur.

Nous arrivâmes à un magnifique portail en fer forgé (mais sans couronne – tout le monde le remarqua, dans ma famille, mais personne ne dit rien) ouvert sur un énorme parc orné de buis parfaitement taillés, et sur le plus joli petit château que j'aie jamais vu, entouré de douves où glissaient des cygnes blancs.

Nous restâmes stupéfaits tous les trois devant tant de beauté.

— Tu ne m'avais pas prévenue que les parents d'Alexandre avaient un si ravissant château ! gronda ma mère dans ma direction. J'aurais acheté une robe plus élégante !

— Je ne le savais pas. Il me parlait simplement de la propriété de ses parents, et c'est tout.

— Je reconnais que je n'ai jamais rien vu de plus beau, dit sèchement mon père, mais ce n'est pas un château de famille. C'est le père d'Alexandre qui l'a acheté...

Ah mais !

— Tu ne vas pas me faire croire qu'Alexandre ne t'a jamais amenée ici ! marmonna ma mère.

— Puisque tu tiens tellement à le savoir, NON ! je ne suis jamais venue ici. Et OUI, nous avons déjà fait l'amour ensemble, Alexandre et moi, AVANT-HIER SOIR, au Ritz.

Mes parents gardèrent un silence gêné.

Puis ma mère murmura :

— Et... ça s'est bien passé ?

— Cela ne vous regarde pas, ma chère, remarqua froidement mon père.

— Oui, ça s'est bien passé, dis-je ironiquement à celle qui m'avait donné le jour. Mais cela aurait peut-être mieux marché si vous m'aviez donné quelques détails... comme il paraît que toutes les mères le font !

— Hein ? Tu n'avais rien expliqué à notre fille ? sursauta mon père, si surpris qu'il tourna le volant de sa voiture dans le mauvais sens...

... et nous faillîmes nous noyer dans les douves !

(Nous étions arrivés par une large mais courte allée jusqu'à un très ancien et magnifique pont en bois qui, par-dessus les douves, reliait les pelouses à l'entrée – ouverte – du château.)

Heureusement, Alexandre, debout, les bras croisés, à l'entrée du pont, surveillait la façon dont mon père conduisait. Il bondit, attrapa le volant et le braqua vivement et violemment dans l'autre sens.

Nous échappâmes ainsi à la noyade.

— Merci ! dit Papa, tranquillement.

— Quand je serai ministre, rigola Alexandre, j'interdirai aux officiers d'avoir toujours des chauffeurs. Après, ils ne savent plus conduire. Seulement monter à cheval !

Nous éclatâmes tous de rire.

Je regardai autour de moi. Il y avait un monde fou, fou, fou !

— Je croyais que nous devions être seulement une centaine ? dis-je à mon futur mari.

— Ma chère petite, déclara ma future belle-mère qui s'était approchée de notre voiture et m'avait entendue, il va falloir que vous vous habituiez à nos mœurs. Mon mari adore recevoir, je crois vous avoir déjà prévenue. Aujourd'hui, en l'honneur du mariage de notre fils cadet, nous avons invité plusieurs députés, le préfet, trois sous-préfets, deux évêques, dix-sept maires... je ne sais pas combien d'agents de change et de banquiers, toute notre famille, la moitié de la vôtre, tous nos amis... Bref, nous devons être près d'un millier. Ce soir, vous allez être morte de fatigue !

Je compris pourquoi Alexandre avait tellement insisté pour me violer dès l'avant-veille.

Le jour du mariage se passa bien.

Le maire lut un charmant compliment que l'institutrice lui avait préparé.

Un seul petit incident : ledit maire me demanda si j'avais un métier.

— Oui ! m'exclamai-je fièrement. Sous-chef de service !

Eclat de rire général.

Cela me vexa.

Ces gens-là n'avaient jamais porté de souliers troués, ni eu faim ou froid (avec engelures dégoulinantes de sang).

Bref, j'allais m'inscrire à mon retour au parti communiste. Alexandre m'en empêcha. A cause de sa carrière d'avocat.

En attendant, je dégustai un somptueux déjeuner.

Et, sous prétexte d'aller embrasser les uns et les autres (y compris les députés et évêques), nous nous glissâmes, mon mari et moi, hors du château et du parc pour aller retrouver sa belle voiture anglaise toute neuve, et filer loin, loin, loin de cette foule.

Le voyage de noces fut merveilleux.

Où ? Cela ne regarde personne.

Retour à la terre

16

Mes amours : silence et solitude

Les années passèrent.

Tranquilles. Heureuses même, malgré les quelques disputes conjugales normales.

Nous eûmes, Alexandre et moi, deux filles.

Il ne fit aucune réflexion, comme mon père, sur le fait que je ne lui avais pas donné de garçon. Ouf !... Il est vrai que nous portions tous les deux le nom simple (et pas très joli) de R...

Je m'en foutais.

Je continuais à travailler avec passion. Mais j'avais quitté depuis longtemps le *Vrai Chic parisien*.

A moins qu'on ne m'ait jetée dehors ? Peut-être... un peu des deux.

Au bout d'un an et demi après notre conversation, j'avais sollicité un rendez-vous pour voir le Président. Et lui demander de m'augmenter et, comme convenu, de me nommer « chef de service ».

Il me reçut d'un air très aimable. Il pensait visiblement à quelque chose qui n'était pas moi... J'avais donc soupçonné, à tort, mon propre directeur de l'avoir prévenu de ma démarche. C'était son grand défaut, à celui-là, que j'aimais pourtant bien. Comme tous les patrons, il détestait augmenter ses employés. Surtout moi car, bizarrement, il ne supportait pas l'idée que je puisse gagner plus de sous que lui quand il avait mon âge.

— Bonjour, monsieur le Président, dis-je avec ma voix la plus douce et la plus chaleureuse possible. Avez-vous été satisfait de mon travail depuis un an et demi ?

Le Président me regarda avec surprise. Il avait complètement oublié notre entrevue passée.

— Euh... mais... oui.

— Merci, monsieur le Président. Alors je me permets de vous rappeler que vous m'aviez promis... hum... hum... si vous étiez content de moi... de m'augmenter et de me nommer « chef de service » au bout d'une année, et cela fait presque deux maintenant.

Le Président retrouva la mémoire. Son visage se plissa brusquement comme celui d'un macaque.

— Mais quel âge avez-vous ?

(Quel âge avais-je donc ? Un trou noir dans ma tête. Ah ! je retrouvai...)

— ... Vingt-trois ans.

(J'avais failli mentir et dire vingt et un ans, pour l'attendrir un peu plus. Heureusement je ne le fis pas.)

— Vingt-trois ans ! Mais si je vous paie comme un chef de service à vingt-trois ans, que vous donnerai-je à trente-trois ?

Ce calcul – que je trouvais minable – m'indigna. Je répondis, un peu énervée, avec un faux sourire :

— « La valeur n'attend pas le nombre des années... »

Le Président émit un petit gloussement moqueur.

— Bravo ! Je vois que vous avez fait de bonnes études !

D'accord, cette citation était un peu prétentieuse de ma part.

Mais qu'un homme, tenu en principe pour honorable, ne respecte pas ses promesses, me bouleversait. Ah ! mon cher Grand-père, vous ne m'aviez pas bien élevée pour le monde dans lequel je vivais !

Je ne pus m'empêcher de murmurer d'une voix un peu pleurnicharde :

— Mais vous m'aviez... PROMIS !

— Ah, ma pauvre petite fille ! Si on tenait toutes ses promesses dans la vie, où irait-on ? Bon, on reparle de tout ça dans un an... D'accord ?

Je ne répondis pas, me levai, et sortis sans un mot.

Le Ciel punit le Président : il mourut brutalement d'une crise au cœur deux jours plus tard. Une heure avant de se rendre à un rendez-vous avec un Américain à qui il comptait vendre *Le Vrai Chic parisien* (sans en prévenir personne de ses directeurs ou de ses employés).

Il eut droit à un grand enterrement.

Tout Paris défila, y compris, bien entendu, le personnel au complet du *Vrai Chic parisien*. On nous distribua des roses pour jeter sur la tombe.

Je refusai la mienne... et crachai sur le cercueil capitonné.

Les secrétaires et assistantes, autour de moi, me regardèrent, horrifiées.

— Mais tu es malade !..., murmurèrent quelques-unes.

— C'était un enfant de salaud qui ne tenait pas ses promesses ! dis-je à voix haute.

— On va te renvoyer..., chuchotèrent d'autres.

— Je m'en fous ! Je quitte le journal ce soir.

Car le Ciel m'avait, moi, récompensée.

Je devais par contrat encore deux livres aux éditions Pierre Horay.

J'eus l'idée de réunir en livres les chroniques que j'écrivais pour *Marie Claire*.

Le premier s'appela *Sainte Chérie*.

Un jour je l'aperçus dans une vitrine de libraire, et je fis halte pour le contempler avec ravissement. Un type s'arrêta à côté de moi dans la rue, examina mon ouvrage, rentra dans la boutique, le réclama et se mit à le lire...

Je considérai ce monsieur distingué avec une certaine surprise (j'écrivais surtout pour les femmes !), puis je le vis sourire. Et même... rire. Je crus que mon cœur allait s'arrêter.

Je finis par m'en aller, mais n'oubliai pas l'incident.

Quelque temps plus tard, j'appris que la télévision (à l'époque une seule chaîne, en noir et blanc) désirait que j'écrive une série : *Les Saintes Chéries*, pour Micheline Presle et Daniel Gélin, avec Jean Becker comme metteur en scène.

Je poussai des cris de joie, pris mes filles dans mes bras, avec lesquelles je dansai un tango.

Et me mis au boulot après avoir confié mes héritières aux jeunes étudiantes de l'Alliance française. Qui, à l'époque, ne sortaient pas tous les soirs, comme, paraît-il, maintenant.

Debout à 5 heures du matin (quelquefois 3), je tapais comme une folle sur ma petite Olivetti jusqu'au retour de l'Homme, tard le soir.

(Il avait maintenant un grand bureau en ville, était devenu un avocat connu, travaillait beaucoup sur les affaires de son père avec qui les engueulades familiales continuaient.)

Je courais alors chez les Chinois : un couple d'amis cantonais qui avaient une boutique au pied de l'immeuble (en fait, elle était peintre et lui sculpteur. Ils m'avaient confié la clé de la porte de leur magasin). Je remplissais un grand couffin de nems, riz cantonais, *Kong Gaoji ros* (poulet à l'arachide), etc. Je payais les factures à la fin du mois. Une des raisons de mon amour de la province : j'adore avoir des comptes chez tous les commerçants de la petite ville la plus proche. Pour remercier de leur gentillesse mes artistes chinois, j'écrivais un texte flatteur sur leurs expositions. (Bien sûr que mes compliments étaient sincères, mais d'autre part je ne sais pas comment j'aurais nourri ma petite famille sans leurs délicieux plats asiatiques.)

Nous allions également passer tous les week-ends dans le « château » des parents d'Alexandre où sa mère faisait préparer par sa cuisinière de solides repas du terroir français. « Mangez pour la semaine ! » nous disait-elle, un peu moqueuse.

J'aimais de plus en plus ma belle-mère, et il me semblait qu'elle avait beaucoup d'affection pour moi... Bien que je me sois toujours refusée à jouer au bridge l'après-midi avec elle et ses amies.

Un jour qu'elle insistait, je lui racontai la perte au poker – à cause de ma mère – de mes économies soi-

233

gneusement gardées pour l'achat d'une bicyclette. Elle me comprit, m'embrassa, ne parla plus jamais cartes.

Par contre, à 8 heures du matin, elle se levait, enfilait les haillons noirs qui lui servaient de vêtements, enfonçait sur sa tête un chapeau en paille noire déchiquetée d'où pendait une rose (toujours en tissu noir)... et venait me réveiller doucement sans déranger Alexandre.

Je passai vite ma robe de chambre. Descendais à la cuisine prendre de grands paniers et des sécateurs. Nous allions dans son jardin de fleurs. Car elle adorait les fleurs (moi aussi).

Elle participait souvent, l'après-midi (cette fois très élégamment habillée par Dior), à des concours de bouquets où elle gagnait généralement le premier prix.

Mon beau-père se plaignait tous les jours (comme la majorité des propriétaires de châteaux) que l'entretien du sien lui coûtait une fortune.

Il décida donc, en premier lieu, de faire payer aux touristes la visite du parc aux buis taillés à la feuille près, du potager et du jardin de fleurs de sa femme.

Nous étions, un matin, en train de discuter avec passion, ma belle-mère et moi, pour savoir quelles fleurs et avec quel assortiment de couleurs elle allait couper (et moi ranger et porter dans les grands paniers), quand surgit un couple de touristes qui nous regarda avec effarement.

Ma belle-mère ressemblait à une SDF, et moi j'avoue que cette manie méditerranéenne de rester habillée jusqu'à midi de très vieilles robes de chambre (en pilou bleu ou rose) aux ourlets décousus ne m'avantageait guère.

Monsieur Touriste (à ma belle-mère) : Dites-moi, vos fleurs sont magnifiques !

Ma belle-mère (très poliment et avec un charmant sourire) : Merci, monsieur !

Madame Touriste (chuchotant) : Est-ce que vos patrons sont aimables avec vous ?

Ma belle-mère (avec humour) : Hum... ça dépend des jours !...

(Je me pinçai le nez pour ne pas pouffer de rire.)

Madame Touriste (tirant de son sac un petit billet qu'elle glissa dans la grande poche du tablier de jardinière de ma belle-mère) : Tenez... pour vous !

Ma belle-mère (toujours avec une voix douce et son adorable sourire) : Merci beaucoup, madame !

Les touristes s'éloignèrent.

Ma belle-mère (tirant le billet de sa poche et le glissant dans la mienne) : A mettre dans le tronc de saint Antoine de la chapelle pour qu'il apprenne à ton mari à ranger ses affaires, puisque je n'y suis pas arrivée !

Une terrible catastrophe se produisit.

Mes beaux-parents eurent un très grave accident d'auto.

Un paysan surgit en tracteur d'un petit chemin de campagne et déboula sur la grand-route – sans regarder ni à droite ni à gauche – au moment où mon beau-père arrivait à sa vitesse habituelle, c'est-à-dire folle.

Tout le monde mourut.

235

Je mis des mois à me remettre de la disparition de ma belle-mère.

D'autant plus que les héritiers (Alexandre y compris) décidèrent de vendre leur superbe château. Trop cher à entretenir, bien sûr !

Nous eûmes alors, l'Homme et moi, notre première grave dispute.

Lui voulait acheter (avec son héritage) une maison ancienne avec jardin, au cœur d'un village au nord de Paris ·

Moi, je ne rêvais que d'une vieille ferme du sud de la France entourée d'hectares et d'hectares de bois. Dans le Silence et la Solitude.

Trois jours plus tard, mon très cher époux avait acheté la chaumière de son cœur, et s'y installait.

Moi, je me contentais d'aller au kiosque à journaux prendre *La France agricole*, *Le Chasseur français*, etc., et de lire consciencieusement toutes les annonces concernant les bergeries et les fermes à vendre au sud de la Garonne (ma famille s'étend le long des Pyrénées, de Pau à Marseille).

Après avoir été très fauchée pendant un certain nombre d'années puis ayant exercé quatre boulots à la fois, j'avais fait des économies dont je ne parlais jamais à l'Homme.

Du reste, pendant notre voyage de noces, nous nous étions juré un certain nombre de choses, dont une indépendance réciproque (sauf en amour, bien sûr).

Un matin, au petit déjeuner, je prévins Alexandre que je prenais l'avion pour Toulouse où un agent immobilier m'attendait avec une « bergerie 300 mou-

236

tons et 110 hectares de bois et vignes ». Pour une somme très modeste. L'Homme faillit s'étrangler avec son café au lait.

— Mais nous avons déjà une maison de campagne ! s'écria-t-il.

— Tu as une maison de campagne ! dis-je sèchement, et non seulement tu ne m'as pas demandé mon avis, mais tu as distribué les chambres et les bureaux à ton gré.

Il me regarda, désolé.

— Pardon ! Tu as raison ! Ce n'était pas sympa de ma part. Je ne sais pas ce qui m'a pris. Tu veux que je revende ma baraque et qu'on en recherche une autre ensemble ?

— Non ! C'est très bien ainsi. Nous avons des caractères indépendants tous les deux, et je pense que cela augmentera avec l'âge. En plus, nous n'aimons pas la même campagne : toi, tu aimes être assis dans ton jardin à lire ou à écouter de la musique classique, entouré de rosiers ; moi, j'adore la terre, le maximum d'hectares plantés d'arbres à tailler moi-même. Je voudrais aussi avoir des abeilles, mais pas de voisins ! Bref, silence et solitude.

— Je comprends. Est-ce que tu m'inviteras ?

— Idiot ! Bien sûr ! Tu auras même ta chambre, ta salle de bains et ton bureau à toi.

A Blagnac (aéroport de Toulouse), je trouvai mon agent immobilier qui brandissait une pancarte portant mon nom.

Une heure de voiture dans son 4 × 4.

237

Nous traversâmes une région en effet assez solitaire.

Et, crac ! la voiture tourna à droite dans un minuscule chemin de terre que je n'avais même pas vu. Suivirent deux kilomètres de trous et de bosses pour arriver sur un immense rocher plat, avec deux bâtiments à moitié écroulés. Le premier était une grande ferme, très longue, où une famille avait vécu pendant des centaines d'années, me dit l'agent immobilier (je rectifiai silencieusement : des « dizaines » d'années). Le deuxième bâtiment était une bergerie en meilleur état, mais on y descendait par une immense échelle.

— Il faudra que vous fassiez construire un escalier, me recommanda Monsieur B.

— Bien sûr ! lui assurai-je.

(Je le fis... mais en dégringolai néanmoins quelques années plus tard et roulai à travers toute la pièce carrelée. Ce qui me valut cinq ans d'hôpital *.)

Le Domaine était entouré de collines en rond, toutes boisées. Moins une (colline boisée).

J'avais l'impression d'être un bébé enveloppé dans un berceau.

— Ce n'est pas mal..., dis-je avec le ton dédaigneux d'une acheteuse dans un souk. Cependant, vous n'auriez pas d'autres fermes à me montrer ?

— Bien sûr ! dit Monsieur B.

Mais j'aimais déjà cet endroit qui portait le nom de domaine de Saint-Jean-de-Dieu.

---

* Lire éventuellement *Docteur, puis-je vous voir... avant 6 mois ?*

A cet instant, se produisit un bruit effrayant dans la colline d'en face. Je sursautai.

— Je croyais vous avoir recommandé « le silence et la solitude » ? criai-je (à cause du bruit) à mon agent immobilier.

— Ce n'est rien ! Rien du tout ! hurla à son tour Monsieur B. Juste des bûcherons qui coupent les arbres du petit bois en triangle de la colline d'en face.

— Comment ! Il ne fait pas partie de MA propriété ? (Je ne pus m'empêcher de dire « ma » propriété.)

— Oui et non ! Il appartient à un certain Monsieur Lopez que je ne connais pas, mais c'est aussi le Crédit agricole qui se charge de le vendre.

J'ouvris la bouche pour dire : J'achète ! mais je la refermai. Si je continuais à dire : J'achète ! au moindre arbrisseau, je serais rapidement ruinée.

Monsieur B. me rassura :

— Oh ! elle ne doit pas coûter très cher, cette petite parcelle. Du reste, il n'y a ni eau ni électricité. Donc, pas constructible ! Et comme les arbres sont en train d'être rasés, il faut attendre trente ans avant qu'ils reprennent une belle taille.

— Mais pourquoi les paysans coupent-ils des petits bouts par-ci, par-là ?

J'avais remarqué cela en chemin.

— Pour payer le fisc. Une parcelle coupée égale les impôts d'un an ! Si vous voulez, après le déjeuner, nous pourrons passer au Crédit agricole, ou même déjeuner avec eux pour discuter le prix de ce petit triangle.

— Surtout que je remarque qu'ils ne replantent pas, alors que c'est obligatoire.

— Oh, vous savez, les forestiers, ici, ne veulent pas se brouiller avec les viticulteurs qui, eux, ne pensent qu'aux vignes.

— Mais où sont-elles donc, MES vignes ? demandai-je étourdiment. Je veux dire ces vignes... Je vous avouerai que je ne m'y connais pas du tout en viticulture. J'ai été élevée dans un pays à vaches.

— Ne vous inquiétez pas. Le voisin les a soignées pendant toute l'année. Grâce à quoi, c'est lui qui vendangera cette année et gardera le prix de la récolte. Les années suivantes, ce sera à vous de vous débrouiller pour les quinze hectares plantés sur le deuxième plateau, là-haut. Evidemment, il vous faudra prendre un ouvrier agricole pour s'en occuper, ainsi que de tout le domaine.

Oh ! là là ! Je me lançais dans des dépenses effrayantes !

Pendant quelques instants, je regrettai une chaumière comme celle de l'Homme.

Mon agent immobilier m'emmena faire le tour de la région.

C'était fou ce qu'il y avait de fermes abandonnées *.

_____

* Cela se passait... il y a longtemps... Hélas, depuis quelques années, la province française est envahie par des « estrangers » anglais, irlandais, belges, hollandais, qui achètent ces maisons, les retapent (bien ! en général) pour y passer leur retraite. Du coup, l'avion Carcassonne-Paris a été remplacé par le Carcassonne-Londres, le Carcassonne-Bruxelles, etc. Cela exaspère la Française que je suis.

Je vis même un hameau entier d'une dizaine de maisons absolument vides.

— Vous pouvez les acheter toutes à la fois, me dit Monsieur B., et en faire un hôtel comme à Dubrovnik.

— Sûrement pas ! Bien que j'aie passé quelques jours délicieux au village-hôtel de Dubrovnik... Mais je suis écrivain. Pas hôtelière... Enfin, pour le moment !

— Dans tout ce que je vous ai montré, rien ne vous plaît ? demanda un peu plaintivement Monsieur B.

Je décidai d'être franche.

En outre, j'avais faim.

— Si. Le domaine de Saint-Jean-de-Dieu. Pouvons-nous y retourner ? Je voudrais redonner un coup d'œil...

— Bien sûr !

— Je désirerais également téléphoner à mon mari. S'il pouvait faire un saut en avion et en taxi, j'aimerais avoir son avis.

— C'est naturel.

Non. Je m'en voulus immédiatement : est-ce qu'il m'avait demandé, lui, mon avis avant d'acheter sa « chaumière » ?

Une femme amoureuse est vraiment un être faible.

Nous nous arrêtâmes à une poste.

Alexandre attendait visiblement mon coup de fil.

— J'arrive ! dit-il d'une voix triomphante.

— Dites-lui qu'il vienne nous retrouver à l'hôtel des Sangliers, en ville, me chuchota Monsieur B. Il ne trouvera jamais tout seul le domaine...

J'appris à ce moment-là que j'avais l'eau et l'électri-

241

cité à la ferme. C'était drôlement de la chance, parce que c'est rare dans le coin ! insista Monsieur B.

Mais je n'avais pas le téléphone, et je ne l'aurais pas avant longtemps.

Pendant des années, je dus donc descendre, vers 7 heures du soir, pour appeler Alexandre sur l'unique poste (public) du village dont je dépendais (à trois kilomètres). Lequel petit poste (public) était installé dans la cuisine du cantonnier qui, à cette heure-là, dînait en famille, enfants compris.

Tout ce gentil monde écoutait avec passion ma conversation conjugale et en tenait au courant, immédiatement après, les gens du pays.

Un jour – quelques années plus tard –, je lisais sous la glycine plantée sur la terrasse du soleil couchant, qui donnait déjà des fleurs à l'odeur divine, quand j'entendis des cris.

C'était le cantonnier qui grimpait la dernière grande côte à vélo, en agitant un papier bleu.

— Madame de Buron ! Madame de Buron ! Il y a un télégramme pour vous ! Mais ne vous inquiétez pas ! Ce n'est pas grave : juste votre sœur qui vous prévient qu'elle arrive demain après-midi !

Du coup, quand France Télécom m'installa enfin le téléphone, je mis quatre postes parce que les Parisiens, dans leurs petits appartements, ont l'habitude exaspérante de raccrocher si vous ne répondez pas après trois sonneries, ce qui ne me laisse pas le temps de courir d'une terrasse à l'autre, ou de grimper les escaliers, ou de galoper de mon bureau à ma chambre.

Quant au portable, je n'en ai toujours pas !

Mes collines empêchent les ondes de passer. Il faut attendre un nouveau satellite... Ce qui m'angoisse, au cas où l'ouvrier agricole au volant de son tracteur aurait un accident en mon absence, ou bien si les enfants, jouant dans les bois, se perdaient. Pour moi, j'ai acheté une camionnette 4 × 4 rouge vif bien visible, au cas où je tomberais dans un fossé.

Deux heures et demie plus tard, Alexandre entra à l'hôtel des Sangliers.

Ravi. Mais, hélas, suivi d'un copain architecte qui se faisait appeler Paulus et dont je n'appréciais pas du tout le talent dit d'avant-garde.

La bagarre éclata dès notre arrivée à la ferme.

— Quelle horreur ! s'écria Paulus. Il faut détruire ces cochonneries de vieilles bâtisses, et refaire des maisons tout en verre !

— Je déteste les maisons tout en verre ! dis-je d'un ton glacial. Non. Je ne déteste pas : je hais ! Pour que les paysans du coin me voient me balader toute nue chez moi ? Sans compter que ce n'est pas le style des fermes de la région aux murs en grosses pierres du pays ou peints en crépi rose, et aux toits recouverts parfois de tuiles anciennes romaines.

— Eh bien, ça changera un peu ! gueula Paulus.

— Ramène ton copain à Paris ! grondai-je furieusement à l'Homme. Ou je le tue...

— Calme-toi ! Calme-toi ! Remarque, tu en as pour deux ans de travaux.

— Je le sais, et je m'en fous !

— Est-ce que tu as besoin d'argent ?

— Non. Tu es TRÈS gentil, et je te remercie, mais c'est MA maison... et je me débrouillerai toute seule.

243

Peut-être...

Mon mari s'en alla avec son affreux copain qui m'en voulut toute sa vie (ce qui me fut bien égal).

Ils croisèrent dans le petit chemin un groupe de trois bonshommes qui, eux, grimpaient « chez moi ».

— Allons bon ! chuchota l'agent immobilier. Ça y est ! Tout le pays est au courant qu'une Parisienne... c'est-à-dire une « estrangère », est en train d'acheter le domaine de Saint-Jean-de-Dieu !

— Et c'est embêtant ?

— On ne sait jamais... Quelquefois oui, quelquefois non... C'est qu'ils sont assez sauvages, par ici !

Monsieur B. me présenta mes visiteurs.

— ... Monsieur S., notre architecte local... Très aimable... Toujours prêt à rendre service aux voisins. Les voisins, c'est important, ici !

— J'habite dans la vieille tour dont vous apercevez le haut, au-dessus des arbres, sur cette lointaine colline là-bas, me dit Monsieur S.

(Zut ! je ne l'avais pas remarquée !)

— ... La légende veut qu'y ait habité une drapière – car notre petite ville de L. était la capitale des drapiers du Languedoc. D'autre part, elle louait ses champs en hiver aux bergers descendus de Montaillou, dans la montagne, avec leurs troupeaux de moutons.

— J'ai lu le livre de l'historien Le Roy Ladurie, dis-je. Passionnant ! Et ça continue ?

— Parfaitement ! Mais maintenant les moutons arrivent en camion.

— Oh, que c'est triste !

— Moi, murmura le deuxième homme, je suis

244

maçon, vigneron, bricoleur, etc. Tout sauf électricien. Et, pour la première fois de ma vie, chômeur. Je me présente... au cas où vous auriez du travail pour moi. Je m'appelle Louis Brun.

— Je vous conseille de le prendre, dit l'architecte. C'est un type formidable.

— Je suis au boulot depuis l'âge de quatorze ans, mais mon dernier patron a fait faillite, dit tristement Monsieur Louis.

Quant au troisième personnage, il me surprit. Tout petit, avec un immense pantalon marron en velours à côtes qui lui montait jusqu'aux aisselles, il faisait preuve d'une grande dignité.

— Je vous présente Monsieur Rigobert, dit « Clé des cœurs », notre maître charpentier. Il est Compagnon du Devoir. Un magicien ! expliqua Monsieur S., l'architecte. Je lui demande souvent conseil. Il n'a qu'un défaut : il refuse de travailler plus de trois jours chez un client.

— Je ne suis plus très jeune ! protesta le petit Monsieur Rigobert, dit « Clé des cœurs ». Mais attention, je reste chez le client jusqu'à ce que j'aie résolu le problème.

— Bref, j'ai mon équipe ! C'est formidable ! dis-je en riant. Mais laissez-moi d'abord acheter le domaine au Crédit agricole !

— Oh, ceux-là ! dit Monsieur B. qui avait écouté la conversation en silence.

Ils hochèrent tous la tête, sans que je comprenne si c'était un signe d'approbation ou de désapprobation.

J'emmenai mon petit monde visiter la ferme.

Nous commençâmes par une immense étable avec stalles, mangeoires, râteliers et cloisons en bois.

— Putain de ma vie ! s'exclama Monsieur Louis Brun. Ça me rappelle mon enfance. C'est là où le paysan avait ses vaches, et pour gagner quelques sous je venais le soir, après l'école, les nourrir. Au-dessus (il montra le plafond en lattes de bois), c'est le grenier, on y rangeait le foin.

— Je ne pense pas que vous allez continuer à vous occuper de bétail, dit l'architecte.

— Oh non ! Je travaille d'abord comme écrivain, annonçai-je, j'écris des livres, des films, des séries pour la télé, des chroniques pour les journaux, etc. En plus, j'ai remarqué qu'il n'y a pas beaucoup d'herbe par ici. Ce que j'aime dans la nature, ce sont les arbres !

— Ne le dites pas trop fort ! Ici on chérit d'abord la vigne !

La deuxième pièce était une cuisine minuscule. Je restai ébahie.

— Je croyais que dans cette grande ferme, habitaient plusieurs générations de la même famille... Comment les femmes se débrouillaient-elles pour cuisiner pour tout le monde ?

— Oh, vous savez, les femmes ! dit Monsieur Louis d'un ton un peu méprisant.

— Attention, Monsieur Louis ! Si vous voulez travailler pour moi, ne parlez jamais des femmes avec mépris. Je suis féministe.

Tous ces messieurs éclatèrent de rire.

On décida de se revoir plus tard.

Monsieur B. me ramena en ville. Heureusement,

j'avais retenu une chambre à l'hôtel des Sangliers où, épuisée, je tombai endormie.

Le lendemain matin, je me promenai dans la petite ville de L., au cœur du pays cathare.

La grande place était entourée d'anciennes arcades et de grands platanes. Classique... Mais, au milieu, une statue de la République... toute nue !

Curieux, non ?

Chez le libraire, je vérifiai si mon dernier livre était en vente.

Non. Si je m'installais dans la région, il faudrait qu'il y soit ! n'est-ce pas ? Par contre, la vitrine était pleine de bouquins sur le catharisme (j'avoue : je ne savais pas encore ce que c'était).

Je le trouvai (mon bouquin à moi) à la Maison de la Presse.

J'entrai remercier la patronne. Elle s'empressa de me demander de faire une séance de signature. Allons bon ! J'étais maintenant obligée d'acheter le domaine de Saint-Jean-de-Dieu ! En attendant, j'achetai une pile de livres sur les cathares. J'avais compris que, si je voulais être acceptée dans la région, il fallait que je sache tout sur eux. (Il y avait même des publicités sur les « slips cathares »... !)

Monsieur B. m'attendait au Crédit agricole avec le directeur. Déjeuner prévu ensuite à l'hôtel des Sangliers (c'était aussi le grand restaurant de la région).

Mon agent immobilier avait réussi à faire baisser le prix du triangle boisé en train d'être rasé dans ce qui allait être ma propriété (plus tard, il m'aidera à acheter la dernière colline). Cet agent immobilier était formidable ! Je savais que les paysans ont horreur de vendre, même un seul are de leurs terres !

Moi aussi, d'ailleurs.

Le directeur du Crédit agricole fut très aimable jusqu'à ce que je refuse d'emprunter de l'argent à sa banque. Je lui avouai alors sottement que mes grands-pères avaient été banquiers tous les deux jusqu'à leur mort, et que celui qui m'avait élevée (le père de ma mère) m'avait répété pendant toute mon enfance : « Ecoute-moi bien, ma petite fille : quand tu seras grande, n'emprunte jamais à un banquier ! Ce sont tous des escrocs ! »

Je crus que les yeux du Crédit agricole du Midi allaient jaillir de leurs orbites.

— Et que disait-il des placements en Bourse ?

— Pire !

Le directeur de la banque protesta :

— Pourtant, j'ai lu dans un de vos livres – car j'ai lu plusieurs de vos ouvrages – qu'à une certaine époque de votre vie, vous ne gagniez pas assez d'argent pour nourrir votre famille. Alors, comment faisiez-vous ?

— Le 20 du mois j'empruntais des sous à ma chère petite bonne bretonne. Et nous ne mangions que du jambon-nouilles jusqu'au 30. Je touchais alors mon salaire, remboursais Denise, et commandais des steaks-frites pour tous les repas suivants... jusqu'au 20. Et, de nouveau, j'allais dans la cuisine réemprunter...

Le directeur du Crédit agricole remarqua un peu acidement :

— En somme, vous aviez plus confiance en votre petite bonne bretonne qu'en votre banque...

248

J'ouvris cependant un compte au Crédit agricole qui s'occupa de payer mes factures (après que j'eus acheté, bien sûr, le domaine de Saint-Jean-de-Dieu).

Un jour, je reçus un papier de la banque m'indiquant que j'avais à ma disposition un prêt de huit cent mille francs (ce n'était pas encore l'ère des euros)... Si j'en avais besoin... Je ne cédai pas à la tentation.

Pendant tout l'été, en attendant que les démarches administratives et les règlements financiers soient terminés, j'avais chiné.

Ce n'était pas encore la mode des vide-greniers, et je trouvai quantité de vieilles choses que j'entassai dans l'ancienne étable, ne sachant pas trop à l'avance ce que j'en ferais. Mais tout me fut utile.

Ainsi, j'achetai dans les villages quantité d'anciennes portes d'armoires dont le corps du meuble avait disparu. Qu'importe ! Je fis poser (beaucoup plus tard, quand les murs furent terminés et repeints), par le menuisier espagnol que cela amusa énormément, les portes dans les coins des « chambres ». Je créai ainsi des armoires d'angle qui surprirent mes invités.

Un petit brocanteur me donna même un très joli bénitier d'église en marbre, qu'il n'avait pas pu vendre depuis vingt ans. « A condition que vous puissiez m'en débarrasser vous-même », ajouta-t-il. J'essayai de le soulever. Impossible : trop lourd ! Le petit brocanteur éclata de rire. Je sortis alors dans la rue, arrêtai le premier garçon costaud que je vis, lui offris un café s'il pouvait transporter mon bénitier

249

de la boutique dans l'arrière de ma Toyota arrêtée devant la porte. Il le fit.

Je remerciai le brocanteur qui ne riait plus, emmenai le costaud boire un café. Il me raconta sa vie vouée au rugby, et fut stupéfait d'apprendre que je n'avais jamais de ma vie assisté à un match (de rugby). Par contre, lui n'avait jamais entendu parler de la pelote basque que j'adorais... surtout avec un curé en soutane pour compter les points.

Je fis l'acquisition pour trois francs six sous de beaucoup de tableaux anciens... assez abîmés dont certains étaient oubliés dans les granges ou les greniers familiaux. J'avais appris qu'il y avait un moine défroqué, dans la région, qui avait quitté son cloître (souffrant trop du manque d'épouse et d'enfants). Qu'il avait passé je ne sais quel stage, suivi d'un examen au Louvre et, depuis, restaurait toutes les peintures de la région.

J'allai le voir et lui apportai les miennes, y compris les immenses tableaux de famille qui étaient chez mes grands-parents dans la salle à manger, et que j'avais passé mon enfance à fixer en silence pendant des repas entiers (comme je l'ai déjà raconté, il me fut interdit de parler à table avant l'âge de dix ans).

Je découvris ensuite que le gros problème des travaux prévus pour la ferme et la bergerie était que les artisans – pourtant aimables et bons travailleurs, et qui vivaient en général dans les petits villages alentour de chez moi – ne venaient *jamais, mais absolument jamais*, aux rendez-vous prévus avec eux.

Par exemple, le plombier, qui habitait à deux kilomètres de ma ferme et qui m'avait promis d'installer le chauffe-eau le lendemain à 8 heures du matin, ne se présenta pas.

J'avais alors recommandé à Monsieur Louis Brun, engagé, lui, comme régisseur à tout faire, d'être là, lui aussi, à 8 heures, pour surveiller le travail.

Le lendemain... 8 heures..., 9 heures..., 10 heures..., 11 heures..., midi..., aucun plombier n'apparut. L'après-midi je continuai d'attendre avec Monsieur Louis. Toujours personne.

Mais il se trouve (je crois l'avoir aussi raconté) que j'ai l'habitude de me lever à 5 heures du matin pour écrire jusqu'à midi, l'après-midi étant réservé aux travaux des champs, des bois, aux abeilles, etc., ou à la lecture devant le feu de l'immense cheminée de la grande pièce, s'il pleut.

Donc, je suis debout à 5 heures du matin, à la campagne comme à Paris. Personne ne s'en doute dans la région. Vous pensez ! Une Parisienne, ça dort jusqu'à midi ! (A Paris je paye les factures, ce que je déteste.)

A 5 h 5 le lendemain (après que j'eus enfin obtenu le téléphone), je fis le numéro du plombier qui m'avait laissée tomber.

Ça sonna.

Voix du plombier (éveillé en sursaut et décrochant son propre téléphone : Hein ?... Quoi ? Allô !...

Moi (voix gaie) : Bonjour, Monsieur S. C'est madame de Buron.

Voix de la femme du plombier (réveillée à son tour, affolée, et dans un sanglot) : Hein ?... Quoi ? C'est maman qui est à l'hôpital ?

Moi (voix plus du tout gaie, mais sévère) : Monsieur S., vous deviez venir chez moi, hier, à

251

8 heures du matin, pour installer le chauffe-eau. Je vous ai attendu toute la journée avec Monsieur Louis, et vous n'êtes pas venu...

Le plombier (enfin réveillé) : Désolé ! Je suis désolé, madame de Buron ! Mais j'ai été obligé d'aller chez une vieille dame où il y avait une fuite d'eau.

Moi (indignée) : Et le téléphone, ça sert à quoi, monsieur S. ? Vous pouviez me prévenir ! Moi, j'ai perdu ma journée à vous attendre. Et celle de mon régisseur ! Et notre temps, c'est de l'argent qui vaut autant que le vôtre, non ?

Le plombier (mielleux) : Plus, madame de Buron ! Plus !

Les enfants (entrant en criant) : On part à l'école maintenant ?

Moi (au plombier, avec une voix un peu sèche mais pas trop pour éviter qu'il ne décide de ne pas poser mon chauffe-eau du tout) : Bon. Vous venez quand, maintenant ?

Le plombier (embêté : il a déjà un autre rendez-vous) : Euh... demain à 14 heures.

Moi (voix menaçante) : Bien, je compte sur vous. Sinon je vous retéléphone après-demain matin à 5 heures ! C'est l'heure à laquelle je me lève pour travailler.

Le plombier (épaté) : Ben, dites donc !

Bien entendu, la rumeur se répandit immédiatement dans la région qu'il y avait une folle de Parisienne qui prenait plaisir à réveiller les *travailleurs* (les *vrais*) à 5 heures du matin. Le téléphone, quelle saloperie ! Et cette bonne femme, elle était « spéciale », non ?

Aussi, quand, des années plus tard encore, le répondeur apparut, certains me téléphonèrent, goguenards, pour me prévenir « qu'il était inutile d'essayer de les déranger avant 8 heures du matin ».

Mais j'avais prévu le coup, et fis semblant de rigoler.

— Vous me connaissez bien mal, cher monsieur D. (mon électricien). Je suis tout à fait capable de sauter, toujours à 5 heures du matin, dans mon 4 × 4, en robe de chambre et pantoufles, et de venir réveiller votre village en entier, maire et curé compris, en klaxonnant dans toutes les rues !

Du coup, mes travaux furent terminés avant les dates prévues.

Mais, comme l'avait prédit l'Homme, il fallut deux ans pour que je puisse enfin dormir dans ma chambre et me laver dans ma salle de bains aux murs recouverts de mosaïques portugaises (en fait, c'était l'ex-poulailler).

J'avais fait fabriquer par le menuisier espagnol, aidé de son fils, un très grand lit « style à la duchesse », en bois sculpté, qu'il avait gravé d'après un livre sur le « mobilier Louis XIV ».

Sa femme avait cousu le baldaquin et les courtines dans un magnifique velours rouge acheté à Toulouse.

Toute l'équipe vint admirer. Et trouva mon lit somptueux (moi aussi).

— On se croirait à Hollivoud ! s'exclama le fils, émerveillé.

La femme de mon menuisier espagnol m'aida à faire le lit avec de vieux draps et taies d'oreiller brodés, plus une grosse couette paysanne achetée dans la dernière boutique de linge de L. qui, hélas, dispa-

253

rut quelques mois plus tard (le dernier magasin de linge « local », pas la ville de L.). J'y trouvai également un « moine », ou bassinoire paysanne en bois et zinc, pour réchauffer les pieds avec de la braise. Alexandre adora.

Ce premier soir, l'équipe me souhaita une bonne nuit et s'en alla.

J'enfilai une de ces chemises de nuit en pilou que j'affectionne tant et que l'on trouve encore sur les marchés de province.

J'avais réussi à grand-peine à faire venir l'électricien dans la journée pour éclairer une très belle lampe de chevet trouvée, elle, au bureau de tabac qui vendait également de la porcelaine aussi jolie et élégante que celle vendue rue Royale.

Je grimpai difficilement dans mon immense et superbe lit (il était un peu haut. Il faudrait que je lui fasse scier légèrement les pattes), quand j'entendis un léger bruit bizarre : comme un glissement sur le carrelage.

Je me penchai et vis avec horreur un serpent qui sortait de dessous ma couche Louis XIV et se dirigeait vers la grande cheminée de ma chambre... où il disparaîtrait, m'empêchant de dormir (je l'avoue : j'ai peur des vipères et des scorpions, bien que j'en aie écrasé un énorme – de scorpion – avec une chaussure, au Kenya – sur lequel Petite Chérie allait marcher pieds nus).

Je sautai sur le carrelage glacé et courus vers la grande cheminée attraper l'un des chenets (offerts par mon papa) que j'abattis sur la nuque du reptile (incapable que j'étais de décider si c'était une vipère ou une couleuvre).

254

Ouf !

Puis je me recouchai...

... et réfléchis que ce monstre rampant venait peut-être d'un nid...

Je me relevai, arrachai mes draps que j'examinai longuement, ainsi que le dessous du matelas.

Rien.

J'eus la paresse de refaire mon lit, m'enroulai dans les couvertures et la couette, et trouvai enfin le sommeil.

Le lendemain, Monsieur Louis me confirma qu'il y avait en effet, dans la région, beaucoup de boas... non, pas des boas ! de simples vipères, et qu'il en tuait une bonne trentaine par an qui nichaient entre les grosses pierres des murs de mes bâtiments agricoles.

Il passa sa matinée à enfoncer des morceaux de fil de fer dans les trous des murailles.

Mais ne trouva rien, sauf Germaine.

Germaine était une immense couleuvre qui vivait dans les iris le long des terrasses. De temps en temps, elle aimait prendre un bain dans la piscine... avec moi ! Et j'interdis qu'on la tue. C'était ma copine. Du coup, mes amies parisiennes invitées dès mon installation à Saint-Jean-de-Dieu ne restèrent pas plus de deux jours. D'autres ne supportèrent pas mes chères chauves-souris ! Ah ! Ces Parisiennes, ça préfère la Côte d'Azur ou les vitrines de l'avenue Montaigne...

Plus tard, une autre nuit, je fus réveillée par des pas lourds dans le grenier au-dessus de ma tête : *poum... poum... poum...*

Un voleur ?

(J'avais déjà été cambriolée... oh ! de pas grand-chose ! Mais la gendarmerie se déploya chez moi au complet. Je le raconterai une autre fois.)

Je me levai, enfilai mes pantoufles, allai chercher dans l'entrée les deux chiennes de garde qui n'avaient pas aboyé, les vilaines ! et ma chère carabine 22 long rifle.

Puis, suivie de mes deux bergères allemandes, ma carabine chargée à la main, je grimpai tout doucement le petit escalier de bois menant au grenier.

J'ouvris très, très lentement la porte, et vis...

... un loir, qui, installé sur une large poutre, me regardait avec ses gros yeux ronds étonnés.

Je ne voulus pas le déranger davantage et redescendis me recoucher dans ma chambre, avec chiennes et fusil.

Le lendemain, je fis part à mon cher Monsieur Louis Brun de mon souhait de ne pas être réveillée toutes les nuits par Monsieur Loir.

Il me rapporta de chez lui une grande cage, avec bananes et pommes.

Car le loir est végétarien... et gourmand.

Le surlendemain, je le retrouvai dans la cage. Monsieur Louis décrocha son fusil de chasse.

Je criai :

— Je vous interdis de le tuer !

— Ben, alors, qu'est-ce qu'on en fait ?

— Je me débrouillerai !

J'emmenai mon loir en voiture, roulant doucement dans des petits chemins inconnus, sauf des propriétaires et des chasseurs, en direction du ravissant château Renaissance de mes voisins, à l'abri de la grande colline du nord.

Nous nous étions violemment disputés (ceux du château et moi) pour une question de bornage. Le fils aîné m'avait accusée de ne pas savoir lire un cadastre ! Je lui avais répondu, indignée, qu'un responsable agricole comme lui qui venait juste huit jours par an (la première semaine d'août) jeter un coup d'œil sur sa propriété et ses quatre cents hectares de bois (oui ! quatre cents !) parce qu'il préférait passer les vacances à Antibes n'était pas digne de posséder une telle splendeur a-gri-co-le. Et que si, un jour, j'arrivais au pouvoir comme la chancelière allemande, les présidentes boliviennes, africaines, irlandaises, etc., je la lui ferais confisquer et transformer en maison pour enfants handicapés, comme le très vilain château de Buron bâti par mon oncle, à vingt kilomètres de mon domaine de Saint-Jean-de-Dieu *.

Il partit, furieux (le voisin, pas l'oncle Marcel enterré au cimetière de C.).

Je laissai mon loir s'installer dans son grenier... où il vit tranquillement et réveille toutes les nuits - quand il est là - le voisin minable (m'a confié le maire, bien sûr au courant de tout).

---

* Ce nom de Saint-Jean-de-Dieu me fait souvent penser à l'ancien ministre Michel Charasse, connu pour refuser d'entrer dans les églises, même pour l'enterrement de ses proches ; quand j'écrivis mon livre *Arrêtez de piquer mes sous !*, je découvris dans le *Who's who* que le nom de sa maison à la campagne était Terre-Dieu. Curieux, non ?

Cependant, j'avais un ennemi juré.

Il habitait dans une grande maison donnant sur la route qui traversait mon petit village de C. Un jour où je passais devant (à trente à l'heure, vitesse obligatoire), je vis qu'il ouvrait une petite fenêtre à coups de marteau dans un immense mur aveugle, et s'engueulait avec deux gendarmes.

— Comment ça ? J'ai pas le droit d'ouvrir une lucarne chez moi sans permission de l'administration ? Et pisser sans permission de l'Equipement, je peux ? Non ! mais c'est à devenir fou ! Qu'est-ce que vous pouvez emmerder le peuple, vous autres !...

Il m'aperçut et me désigna du doigt dans ma camionnette 4 × 4 rouge.

— Evidemment, ça dépend à qui vous avez affaire ! Tiens, regardez : voilà Madame de Buron, la Parisienne, qui passe. Elle a acheté la ferme et la bergerie du domaine de Saint-Jean-de-Dieu, et elle, elle ne se prive pas d'ouvrir toutes les fenêtres qu'elle veut ! Mais vous ne lui dites rien, bien sûr ! Vous n'avez même pas été voir !

Je fonçai chez moi et téléphonai, haletante, à mon cher voisin et ami, l'architecte.

Il me confirma que mon ennemi avait raison.

Du reste, la voiture des gendarmes arrivait.

Manque de chance, Monsieur Louis avait commencé, lui aussi, à ouvrir un œil-de-bœuf dans un grenier.

Il ne parut pas inquiet de voir les représentants de la maréchaussée et cria à l'un d'eux :

— Eh ! salut, cousin !

— Salut ! répondit un des gendarmes avec un large sourire.

Mais l'autre gendarme avait les lèvres pincées

— Ouvrez une bouteille de blanquette de Limoux, qu'on reçoive bien ces messieurs ! criai-je à Monsieur Louis, qui comprit qu'il y avait un problème et se précipita.

— Oh ! ce n'est pas la peine, dit sèchement le deuxième pandore. Nous n'avons pas le droit de boire en service et, de toute façon, nous ne sommes pas venus pour ça, mais pour vous mettre une contravention.

Je pris un air terrorisé :

— Allons bon ! Qu'est-ce que j'ai fait ?

— Vous ouvrez des fenêtres sans permission.

— Parce que j'ai besoin d'une permission pour ouvrir un œil-de-bœuf ? Mais le maire ne me l'a pas dit... Remarquez, on ne me voit pas. de la route.

— Ça ne fait rien. C'est la loi.

A ce moment-là, Monsieur Louis apparut avec bouteilles et verres.

Nous nous assîmes tous sur la terrasse et commençâmes à bavarder et à boire... sauf le gendarme hargneux.

Je me mis alors à raconter des potins politico-parisiens ; Monsieur Louis, lui, se chargea des ragots de la région. Bref, une demi-heure plus tard, la bonne humeur était générale.

Je reversai de la blanquette à la ronde, y compris dans le verre du gendarme hargneux qui, cette fois, la but... sans en avoir l'air.

Puis les deux représentants de la loi se levèrent pour partir.

Moment crucial.

— Vous avez une voiture ? me demanda le gendarme numéro 1.

— Bien sûr !

— Eh bien, faites donc un saut à C. où il y un représentant du ministère de l'Equipement. Demandez-lui un numéro pour vos travaux – y compris les œils-de-bœuf – et rapportez-le-nous à la gendarmerie... et ça ira comme ça.

— Avant 6 heures, ce soir, ajouta le Hargneux.

Dès qu'ils eurent disparu, je sautai dans ma Toyota et fonçai à C. où j'eus un mal de chien à trouver le représentant du ministère de l'Equipement. Finalement, je dégottai une immense pièce où étaient entassés contre les murs des milliers de dossiers.

Au milieu, tout seul, un employé en blouse grise (ça se portait encore à C. !) avait l'air de s'ennuyer terriblement.

Je lui expliquai mon problème.

— Aaaah ! C'est encore ce casse-pieds de gendarme qui emmerde tout le monde, y compris moi ! Regardez ces milliers de dossiers, là, contre le mur, c'est à lui que je les dois ! Je vais finir par le tuer ! Bon, tenez, voilà un numéro (il griffonna un papier sans le lire et me le tendit). Et puis je vais vous donner un truc pour vous et vos amis : la prochaine fois que cet emmerdeur vous embêtera parce que vous ouvrez une petite fenêtre ou une lucarne ou un œil-de-bœuf, répondez que ça existait déjà AVANT, la fenêtre ou la lucarne ou l'œil-de-bœuf, et que vous êtes seulement en train de l'AGRANDIR. C'est tout ! AGRANDIR. On vous foutra la paix.

— Merci ! dis-je du fond du cœur. Passez un de ces jours au Domaine boire un verre.

J'arrivai à la gendarmerie à l'heure, tendis le papier de l'Equipement au gendarme numéro 1, et invitai toute la maréchaussée à passer boire un verre.

J'eus beaucoup de succès.

La semaine suivante, le gendarme hargneux fut muté dans l'Ariège.

Un jour, je reçus un papier de la mairie de mon village m'informant qu'à la fête du 15 août, il y aurait un grand déjeuner.

Je décidai d'y participer, et me retrouvai entre deux viticulteurs qui m'étaient inconnus – mais eux avaient l'air de savoir qui j'étais (l'« estrangère », bien sûr ! Ou la « Parisienne ». Ou (encore pire) « Celle qui écrit du cinéma »). Ou (encore encore pire !) la Parisienne « spéciale ». (Je ne sais toujours pas ce que ce « spéciale » signifie : Mr Brun se refuse absolument à me l'expliquer.)

Le repas commençait par un énorme plat de charcuteries locales que nous mangeâmes dans un silence total, qui dura au moins vingt minutes.

Je décidai alors de me lancer, tant bien que mal, dans une conversation, même si elle ne menait à rien. Avec courage, je m'adressai au viticulteur à ma droite.

— Savez-vous que, quand j'étais petite et élevée par mes grands-parents dans la Sarthe, j'étais une très bonne fermière !

Le viticulteur de droite (pas du tout intéressé) : Ah ?

Moi (au viticulteur à ma gauche) : Vous savez traire les vaches à la main ?

(J'avais remarqué qu'il n'y avait pas une seule vache dans toute la région. Même pas de chèvres. Juste des vignes, des vignes, des vignes...)

Le viticulteur (de gauche, surpris) : Ben... non !

Moi (avec un sourire ravi) : Moi, si !

(Et me retournant de nouveau vers le viticulteur à ma droite) : Vous savez baratter le beurre à la main ?

Le viticulteur (à ma droite, surpris à son tour) : Ben... non !

Moi (sourire épanoui) : Moi, si !

(Me retournant à nouveau vers le viticulteur à ma gauche) : Vous savez attraper le furet à la main ?

Le viticulteur (à ma gauche, stupéfait) : Ben... non !

Moi (sourire épanoui) : Moi, si !

(Me retournant à nouveau vers le viticulteur à ma droite) : Vous savez braconner le goujon dans la rivière avec une bouteille ?

Le viticulteur (à ma droite, à son tour complètement stupéfait) : Ben... non !

Moi (avec un sourire de plus en plus épanoui) : Moi, si ! Tenez, venez à la maison dimanche, je vous montrerai comment on fait, et ensuite on boira une blanquette ensemble.

Les deux viticulteurs : Merci !

Naturellement, ils ne vinrent pas. Mais je sentis, le dimanche suivant, que j'étais adoptée par le village.

Mon père, le Colonel, passait quelques jours à la maison avec Pauline.

Je descendis en ville chercher un gros gâteau chez

262

le pâtissier (un très bon pâtissier !) pour fêter Pâques.

En remontant, je m'arrêtai au dernier tournant dans mon petit village de C. Je savais – tout le monde savait à trente kilomètres à la ronde – qu'il y avait là un très vieux pépé à moitié aveugle, qui sortait de chez lui à toute allure, sur son tracteur, sans regarder ni à droite ni à gauche.

Malheureusement, ce jour-là, bien que la rue soit complètement vide (c'était midi, l'heure du déjeuner), arrivait en sens inverse (de moi) une voiture belge, conduite par une dame belge, qui ignorait absolument ce détail local. Elle conduisait très vite, fut surprise par le vieux pépé surgissant avec ses énormes lunettes et sa vieille casquette. Elle zigzagua... et vint enfoncer la portière gauche de ma chère Toyota.

Je sortis en hurlant, bien sûr ! et en insultant la Belgique... qui sortit également de sa voiture.

Je m'aperçus alors qu'elle pleurait (le pépé avait disparu sans s'apercevoir de rien).

Du coup, je tentai de consoler l'« estrangère ».

— Ce n'est rien, madame ! Je ne suis pas blessée ! On va faire un constat et puis c'est tout... Ne pleurez pas !

— Je suis désolée, hoqueta la dame belge, je sais que j'allais trop vite, mais je rentre à Bruxelles où ma mère est très malade. Et j'ai été surprise par... ce vieux monsieur sur son tracteur.

— C'est le pépé du village, lui expliquai-je. Désolée pour votre mère. Tenez, j'ai justement une feuille de constat dans ma boîte à gants, on la remplit vite, et vous repartez après l'avoir signée.

— Nous aussi, on signe pour vous ! crièrent des voix.

Je me retournai . tous les gens de C. étaient dans la rue, ayant abandonné leur déjeuner, et m'entouraient. Même le maire, qui habitait à l'autre bout du « pays », était là, haletant d'avoir couru.

— Moi aussi, je suis d'accord ! me dit-il. Je n'ai rien vu, comme tout le monde, mais je vous connais : vous êtes honnête... Je signe pour vous !

— Oui ! Oui ! On signe pour vous ! recria la foule.

Mon cœur s'emplit de bonheur Je faisais désormais partie du village.

Du reste, Monsieur Louis Brun, qui s'occupait désormais complètement du domaine, me le confirma dès qu'il arriva le lendemain matin. Mon petit accident avait fait l'objet de toutes les conversations depuis la veille. Et les habitants de C. étaient d'accord pour déclarer que j'étais « brave » (cela voulait dire : « une brave femme »).

Depuis, un échange de bons procédés s'est établi entre le village et moi.

Ainsi, je reçois le bulletin municipal qui me passionne.

Je descends à la bibliothèque les livres que j'ai lus et que je ne désire pas spécialement garder.

Je trouve, en arrivant pour Noël, un joli petit panier, distribué par la mairie, avec diverses charcuteries et un délicieux vin blanc.

Je trouve également un cuissot de sanglier offert par les chasseurs.

Ah ! les chasseurs !

Ce fut mon plus gros problème quand j'achetai le domaine de Saint-Jean-de-Dieu.

Dans ma région, tous les villages ont leur équipe de chasseurs qui, dès les vendanges terminées, décrochent leur fusil et tirent sur les sangliers... ou les habitants des hameaux voisins qui se hasardent sur « leurs » terres.

Dès que les travaux de ma ferme et de la bergerie furent terminés, j'eus droit à la visite des représentants de l'équipe de mon village, conduits par le Chef de Battue (le Président). Ils m'expliquèrent que *depuis TOUJOURS*, ils chassaient dans mes bois. La tradition le voulait.

Je le savais. J'avais déjà aperçu les sangliers, trouvé des traces de battue ou des restes de pique-nique abandonnés par les voisins postés à l'affût.

Et puis, bien sûr, Monsieur Louis m'avait prévenue.

On se rappellera peut-être que, petite, j'adorais suivre mon grand-père et son garde-chasse qui tiraient les lapins, lièvres et perdreaux, autour des fermes entourant le « château de famille ».

Mais de sangliers, il n'y en avait point.

Je répondis donc prudemment que j'allais demander à mon mari.

Et, en effet, j'en parlai à l'Homme.

J'appris alors qu'il n'avait jamais chassé le sanglier et qu'il détestait cela.

— Je vais être brouillée avec tout le pays, remarquai-je. Et puis, c'est la tradition ici.

— On s'en fout ! On ne les connaît pas, ces types !

— Moi, si, un peu ! Ils ne sont pas plus méchants qu'ailleurs !

— Comment ça ? Chaque fois que j'ouvre le journal local, j'apprends qu'ils ont tué quelqu'un ! D'ici qu'ils tirent sur nos petits-enfants... ou sur les chiens !

— Si je dis non aux chasseurs, c'est sûr qu'ils empoisonneront nos bergères allemandes, ou verseront du sucre dans l'essence des voitures. Ils ont fait le coup la semaine dernière aux Anglais qui ont acheté la ferme du Loraguel avec les bois autour, et ont refusé le passage à l'équipe de Sauzac.

— Les Anglais n'ont qu'à rester chez eux !

— Trop tard ! Ils sont en train de s'installer en masse dans tout le sud de la France.

— Je croyais que tu avais un ancêtre qui les avait arrêtés à Fontenoy ?

— Oui, mais il est mort en 1700 et quelque !

Monsieur Louis ne fut pas d'accord pour que je refuse à l'équipe du village de C. de venir chasser dans mes bois.

— Vous aurez des ennuis, me prédit-il d'une voix sinistre. La semaine dernière, les chasseurs du village de Sauzac ont empoisonné les chiens des Anglais...

— Je sais, le coupai-je nerveusement. Je vais encore réfléchir.

En fait, j'allai demander conseil à la secrétaire du préfet qui était une amie et m'avait fait avoir (à ma stupeur ravie) la médaille du Mérite agricole (une décoration que Johnny n'a pas encore, je crois, ah ! ah ! et que j'espère il n'aura pas après avoir abandonné la belle nationalité française, fortune faite).

— Tu es folle de dire non aux chasseurs ! Tu auras des ennuis ! me prédit ma copine de la préfecture à

son tour. La semaine dernière, ceux du village de
Sauzac...

— Mon mari l'a lu dans le journal !

— Fais un compromis !...

J'ai donc fait un compromis.

Tous les ans, j'écris une lettre au Président des bat-
tues de C., mon voisin préféré (avec copies à la
Fédération des chasseurs, au garde-chasse de ladite
Fédération, à Monsieur Louis Brun, aux équipes des
villages voisins), leur donnant les dates auxquelles
MES CHASSEURS ont le droit de tirer dans MES bois.
EUX SEULS.

Tout le monde sait, jusqu'à Toulouse, que, *de vive
voix*, j'ai donné mon accord pour qu'ils tirent également dans la direction (mais seulement dans la
direction...) des équipes voisines qui se seraient glis-
sées chez moi.

Le grand moment de l'année, au domaine de
Saint-Jean-de-Dieu et dans toute la région, c'est,
bien sûr, celui des vendanges.

On y pense toute l'année. (On y travaille toute
l'année.)

On commence à en parler un mois plus tôt. Après
le 15 août – dont le temps qu'il fait ce jour-là est un
indicateur précieux pour le temps qu'il fera pendant
les vendanges –, on regarde la météo à la télévision,
mais on préfère interroger les anciens. Plus sûr.

Une bonne semaine avant la date envisagée,
Monsieur Louis démarre les préparatifs :

Nettoyer les seaux, les hottes, les remorques, etc.

Vidanger les voitures, les tracteurs, etc.

Laver les vieux chandails troués, les impers déchi-

267

rés, les bottes oubliées, etc., car nombre de jeunes étudiants dont c'est la première expérience agricole croient toujours qu'il fait beau aux vendanges. Ce qui n'est pas forcément exact ! (Il m'est arrivé – une fois, et j'en parle encore ! – de cueillir le raisin dans la neige un 1er novembre !)

Monsieur Louis compte combien il reste de sécateurs, et en rachète à la Coopérative – chez moi, disparaissent d'une façon incroyable les crayons (mes filles), les peignes (les femmes de ménage), les couteaux (le régisseur) et, bien entendu, les sécateurs (utiles aux vendangeurs pour leur potager et à mon mari pour couper ses ongles de pieds) !

Ma femme de ménage nettoie à fond « la maison des vendangeurs » que mon père adorait et où il disait vouloir finir sa vie. Deux chambres, quatre lits. Une grande pièce (deux divans, une immense table ronde, une cheminée, une télé avec je ne sais combien de chaînes, une salle de bains complète – ça, c'était le bonheur pour la gent féminine –, un W.-C. – bonheur aussi : pas besoin de se cacher dans les buissons –, et une cuisine avec frigo, four électrique, four à micro-ondes, vaisselle, etc.

Ceux qui ne pouvaient avoir un lit (réservés aux vendangeuses) dormaient dans leur sac de couchage par terre (tapis dans le salon-salle à manger) ou autour de la petite maison, ou dans de vieilles caravanes récupérées dans la décharge à côté du cimetière et nettoyées au Kärcher.

Il y a aussi le téléphone (quand je l'obtins enfin), avec une ligne spéciale (bon marché) pour m'appeler, ou les pompiers.

J'avais décidé dès le premier jour de reprendre la *tradition du déjeuner de FIN DE VENDANGES*.

Joie des vendangeurs.

Sauf de mon ennemi juré qui fit remarquer à la ronde que ce n'était pas par esprit de tradition, mais parce que j'étais trop *RICHE* !

Cela ne m'empêcha pas de courir chez Leclerc acheter une (ou deux) grandes nappes en papier à fleurs, avec vaisselle en carton et couverts assortis, plus gobelets en plastique (compter quatre gobelets par personne).

Puis je commandai le déjeuner de vendanges chez le traiteur de L.

• Entrées : un plat de charcuteries locales, bien sûr, et un plat de crudités.

• Plat principal : un énorme cassoulet pour tous (avec haricots blancs bien, bien cuits. J'aime les haricots blancs bien, bien cuits. Ce qui n'existe pas, je le crains, à Paris où les chefs cuisiniers parisiens sont si pressés qu'ils ne laissent pas mijoter assez longtemps les haricots).

• Ensuite, commandées chez le pâtissier de L., une ou deux grandes tartes aux pommes. Assez pour le déjeuner et même le dîner.

• Café, bien sûr.

• Comme boissons : blanquette de Limoux, vin rouge merlot, Vittel, et cognac.

Ah ! j'oubliais... Toujours chez Leclerc (j'y vais assez souvent non pas à cause d'un neveu qui travaille à la direction, mais parce que le magasin est facile d'accès et qu'on y trouve tout ce qu'on veut. Inconvénient : refuse que l'on paye par facture mensuelle), j'achète également un grand nombre de paquets de biscuits Lu ou Brun, et des bouteilles de sirop de grenadine... que je porte à 4 heures pour le goûter de mes vendangeurs.

D'abord, le petit arrêt du « goûter », mes vendangeurs adorent.

Ils ont soif (surtout s'il fait chaud). Et je sers (dans les gobelets en plastique) de l'eau bien fraîche, juste sortie du réfrigérateur, avec de la grenadine pour ceux qui en veulent.

Les jeunes dévorent les biscuits.

Certains s'écartent du groupe pour fumer une cigarette (surveillés par Monsieur Louis et moi qui avons toujours peur du feu). Au bout de dix minutes-un quart d'heure, Monsieur Brun crie : « Allez ! On reprend le travail ! »

On s'y remet, en général, dans la bonne humeur.

Naturellement, la pharmacie de la ferme est remplie de quoi soigner un doigt blessé, coupé même par un autre sécateur + aspirine + Diantalvic + bandages, etc.

Une voiture est toujours prête à descendre en ville, en cas d'accident plus grave.

Les vendangeurs ont été prévenus dès la veille.

D'abord ceux du village, les amis de mon régisseur qui reviennent, en principe, tous les ans.

Ensuite les « estrangers » assis par terre sous les arcades de la grande place et que nous dévisageons, Monsieur Louis et moi, en passant lentement devant eux en voiture.

C'est ainsi que j'ai vu défiler des Polonaises, venues du fond de la Pologne en stop, un facteur italien qui avait l'air de sortir d'un film de Benigni, un intellectuel indien avec qui je discutai littérature américaine, des routiers au chômage, une troupe de Cambodgiennes qui habitaient, je crois, dans la région, et laissèrent la maison dans un état de propreté inouï, etc.

Et puis, un jour, deux ravissantes petites Anglaises qui arrivaient de Gibraltar et continuaient vers l'Angleterre. Monsieur Louis me dit qu'elles travaillaient avec une ardeur incroyable ; je fus surprise, les compliments étant rares chez lui. Aussi, quand elles s'en allèrent, après que je les eus payées (ce que je faisais après le déjeuner de fin de vendanges, les paies ayant été préparées, au sou près, depuis deux jours par moi – et la caissière du Crédit agricole, chargée de l'appoint), et qu'elles me demandèrent si elles pouvaient revenir l'année suivante, je répondis « oui ! » avec enthousiasme.

Un mois plus tard je reçus la note du téléphone Très lourde. Mes charmantes petites Anglaises avaient téléphoné tous les jours de chez moi à Londres. Et deux fois en Nouvelle-Zélande.

Aussi, quand elles m'appelèrent, au mois de juillet suivant, pour savoir si elles pouvaient revenir à la ferme pour les vendanges, je répondis gaiement : « Mais oui, bien sûr ! Simplement vous me rembourserez vos notes de téléphone de l'année dernière... »

Je ne les revis jamais.

Quant à moi, je devins une vendangeuse convenable (enfin, je crois) grâce à ma femme de ménage qui était la *mousseigne* (patronne de cinq ou six coupeurs/coupeuses) de mon petit groupe (dit « la colle »).

Elle n'arrêta pas de m'engueuler .

— Madame de Buron ! Vous ne coupez pas assez vite, et le porteur, avec sa hotte qui est lourde, est obligé de redescendre la parcelle pour venir vider votre seau !...

— Madame de Buron ! Vous coupez trop vite, et vous laissez la moitié des grappes sur la souche !

— Madame de Buron ! Cela ne se fait pas, par chez nous, de s'asseoir par terre quand vous vendangez. Vous devez vous accroupir, simplement.

— Madame de Buron ! Vous devez faire plus attention quand vous coupez ! Les sécateurs, c'est dangereux ! La vendangeuse de l'autre côté de votre rang, elle nous vient de l'hôpital des fous... et vous risquez de lui couper un doigt !

Le soir, quand les vendanges étaient terminées, j'accompagnais Monsieur Louis à la cave coopérative avec la récolte du jour.

Quelquefois il fallait attendre plusieurs heures. Maintenant, non. Par contre, nous recevons tous les jours des ordres, des horaires, des papiers de recommandations, bref une paperasse incroyable, pire qu'à Paris !

Quand ma femme de ménage revint à la maison (la première fois après ses violentes réprimandes), elle baissait la tête, se souvenant comment elle m'avait parlé, et craignant qu'à mon tour, je ne lui hurle des reproches.

Je lui fis simplement un grand sourire, et c'est tout...

Du coup, elle resta pendant des années.

Je vis donc, heureuse, la moitié de l'année dans mon domaine.

Surtout depuis que je m'y suis découvert un cousin.

Pendant des années, ma chère dernière petite sœur, Isaure, a travaillé à Montpellier (à trois heures de voiture !) pour devenir biologiste. Je lui laissais la clé de ma maison pour qu'elle puisse y venir – éventuellement avec ses copines – s'y reposer pendant le week-end.

Brusquement, un jour, je décidai d'y aller, moi aussi.

Monsieur Brun vint me chercher avec la voiture à l'aéroport de Toulouse.

Il avait un drôle d'air.

— Quelque chose ne va pas ? lui demandai-je.

— Non ! Non ! répondit-il distraitement.

Puis il sortit une lettre de sa poche. Allons bon ! allait-il me quitter ?

— C'est une lettre pour Mademoiselle Isaure. Mais elle est arrivée après son départ..., marmonna mon régisseur.

— Ah bon ! Et c'est grave ?

— Non... je ne crois pas. Mais sur l'enveloppe il y a écrit : « Mademoiselle Isaure de Buron-Brun »...

— Oui... et alors ?

— Mais vous vous appelez Brun vous aussi ?

— Moi ? Non !

Et je compris tout ! Mon père était le seul survivant mâle de trois familles : les Buron, les Brun, les Vidouze (les autres étant morts à la guerre). Cela le tracassait beaucoup. Un jour, il décida de « relever » le nom de Brun, je ne sus jamais pourquoi.

Il fit, je crois, beaucoup de démarches, dépensa un tas d'argent qu'il n'avait pas, vendit une très vieille commode marquetée (ah ! ces militaires fauchés !), réunit tous ses enfants (moi y comprise), c'est-à-dire sept têtes blondes (ou brunes)... et nous annonça qu'à l'avenir nous devions porter le nom de Buron-Brun.

— Moi ? Sûrement pas ! m'exclamai-je. Brun, pour moi, ce sont des petits biscuits. Je trouve Victoria de Buron très joli, et basta !

— Toi, tu as toujours été plus qu'indépendante, gronda mon père.

Mes autres sœurs et mon frère (enfin, demi-sœurs et demi-frère) ne bronchèrent pas. Un ordre de Papa était plus qu'un ordre.

J'expliquai toute l'histoire à mon fidèle régisseur.

Il réfléchit longuement et dit :

— Mais, est-ce qu'il y a une chance pour que nous soyons... cousins ?

Je réfléchis rapidement.

Attirer son attention sur la particule qui nous séparait ne me semblait, justement, pas noble du tout !

Mais nous séparait-elle ? Et depuis quand était-elle là ? Personne ne me l'avait jamais dit.

Je répondis très sérieusement :

— Vous savez, Monsieur Brun, depuis Charlemagne, tous les Français sont cousins !

Il hocha la tête avec soulagement... me conduisit à ma porte... repartit avec MA voiture au village répandre la grande nouvelle :

Nous étions cousins !

et

tous les Français étaient cousins.

Permettez-moi, chers amis lectrices et lecteurs (et cousins), de vous quitter en vous embrassant.

Table

La vie chez mes grands-parents

Le Maroc

Premières découvertes dans une autre vie

Le Sahara

Quatre boulots et deux demandes en mariage

Retour à la terre

Au revoir tristesse

Chéri, tu m'écoutes ?
Nicole de Buron

C'est bien connu, c'est l'amour qui fait tourner le monde. Vous et votre tribu en savez quelque chose : tandis que « Fille aînée » vous gratifie d'un « Gendre n° 2 », « Petite chérie » enchaîne les coups de foudre et belle-maman, à 75 ans, convole en justes noces. Le petit Attila, lui, brûle pour sa maîtresse. Quant à l'Homme, il vous aime depuis 38 ans, même si jusqu'à présent, il n'a pas jugé utile de vous le dire...

(Pocket n° 10568)

Il y a toujours un Pocket à découvrir

Rire pour guérir

Docteur, puis-je vous voir...
avant six mois ?
Nicole de Buron

Imaginez… Vous vous trouvez en haut des escaliers de votre maison de campagne, une panne d'électricité a plongé la maison dans l'obscurité, vous tâtonnez le rebord de la première marche, et de une, et de deux, et… manqué ! Vous dégringolez et vous voilà en mille morceaux. Arrivée aux urgences… C'est grave, docteur ? Encore faudrait-il qu'il y en ait un, de docteur. Entre son médecin de famille parti au Népal et le Dr Rocher qui vient de se casser le genou, Nicole de Buron est partie pour nous faire vivre des aventures i-nou-bli-ables.

(Pocket n° 12036)

Il y a toujours un Pocket à découvrir

Le chômage et ses victimes

Mon cœur, tu penses à quoi ? À rien...
Nicole de Buron

Tout va bien dans votre petite famille. Jusqu'au jour où vous apprenez que votre mari est démis de ses fonctions de P.-D.G., au profit d'un jeune loup. Certes, le licenciement est adouci par diverses primes, mais qu'en est-il de la Safrane avec chauffeur ? Et, surtout, comment supporter l'humeur exécrable de l'apprenti chômeur ? Comment voir sans hurler cette loque errer, hagarde, dans l'appartement ? Rien ne l'attire, rien ne lui plaît… excepté le golf. Mais est-ce une si bonne idée que de l'y envoyer ?

(Pocket n° 11126)

Il y a toujours un Pocket à découvrir

Faites de nouvelles découvertes sur
www.pocket.fr

Cet ouvrage reproduit par procédé photomécanique
a été achevé d'imprimer sur les presses de

BUSSIÈRE
GROUPE CPI

à Saint-Amand-Montrond (Cher)
en février 2006

Cet ouvrage a été reproduit par procédé photomécanique
et été achevé d'imprimer sur les presses de

BUSSIÈRE

GROUPE CPI

à Saint-Amand-Montrond (Cher)
en janvier 2006